A L'HOTEL
BERTRAM

AGATHA CHRISTIE

A L'HOTEL BERTRAM

Traduit de l'anglais par Claire Durivaux

LIBRAIRIE DES CHAMPS-ÉLYSÉES

Ce roman a paru sous le titre original :

AT BERTRAM'S HOTEL

CHAPITRE PREMIER

Le cœur du West-End abrite de nombreuses petites rues calmes, inconnues de presque tous, sauf des chauffeurs de taxis qui les traversent avec facilité, et arrivent à Park Lane, Barkeley Square ou South Audley Street.

Si, en venant du parc, vous tournez dans une ruelle sans prétention, et tournez à nouveau une ou deux fois, à gauche puis à droite, vous aboutirez dans une rue tranquille, où se dresse l'hôtel *Bertram*. L'hôtel *Bertram* se trouve là depuis longtemps. Durant la guerre, les maisons sur sa droite, furent démolies, ainsi que celles, un peu plus loin, sur sa gauche, mais le *Bertram* fut épargné. Toutefois, il ne put éviter d'être meurtri et marqué de cicatrices (comme diraient les agents immobiliers), mais grâce à une somme d'argent raisonnable, il fut restauré et reprit son aspect original. En 1955, il était précisément le même qu'en 1939, imposant sans ostentation et discrètement coûteux.

La clientèle du *Bertram* se recrutait, depuis toujours, dans la hiérarchie ecclésiastique, parmi les ladies douairières de l'aristocratie, arrivant de la campagne et les jeunes filles qui, sortant d'institutions coûteuses, retournaient chez leurs parents pour les vacances. « Il y a si peu d'endroits où une jeune fille seule soit en sécurité à Londres, mais bien sûr, le *Bertram* est tout à fait convenable, nous y sommes allées durant des années. »

Il avait existé naturellement beaucoup d'autres hôtels du même genre que le *Bertram*. Certains subsistaient encore, mais presque tous avaient été victimes des bouleversements sociaux d'après-guerre. Il leur fallut obligatoirement se moderniser, s'adapter à une nouvelle sorte de clientèle. Le *Bertram* aussi avait dû changer, mais cela avait été fait d'une manière tellement habile qu'on ne le remarquait absolument pas au premier coup d'œil.

Au pied des escaliers, menant aux larges portes, se tenait ce qui semblait être, à première vue au moins, un feldmaréchal. Galons dorés, décorations, ornaient sa large poitrine. Son attitude était parfaite. Il vous recevait avec une affectueuse attention alors que vous émergiez d'un taxi ou d'une voiture avec des difficultés rhumatismales, vous conduisait avec précaution au haut des marches et vous guidait à travers les portes battantes mais silencieuses.

A l'intérieur, lorsque vous visitiez le *Bertram* pour la première fois, vous éprouviez, avec une pointe d'angoisse, la sensation que vous pénétriez dans un monde disparu. Vous aviez l'impression d'être transporté hors du temps. Vous vous trouviez à nouveau dans l'Angleterre « édouardienne ».

Certes, il y avait le chauffage central, mais cela ne se voyait pas. Dans l'immense salon, se dressaient deux magnifiques cheminées, près desquelles de grands seaux à charbon en cuivre, brillaient comme les faisaient briller les domestiques de l'époque édouardienne, et ils étaient remplis de morceaux de charbon tous de même grosseur. Ces cheminées, tout autant que le riche velours rouge, donnaient un sentiment de confortable intimité. Les fauteuils n'étaient pas de notre époque. Ils s'élevaient bien au-dessus du sol, de telle sorte que les vieilles ladies arthritiques ne risquaient point de perdre leur dignité en tentant de se lever. Les sièges, eux-mêmes, ne s'arrêtaient pas, comme la plupart des coûteux fauteuils modernes, à mi-chemin entre la cuisse et le genou, ce qui inflige d'atroces douleurs à ceux souffrant de sciatique. De plus, ils n'étaient pas tous de même modèle. Les uns présentaient un dossier droit, d'autres un dossier incliné. Ils étaient encore de largeurs différentes, convenant au mince comme à l'obèse.

On était à l'heure du thé, le hall se trouvait rempli de monde. Non pas que le hall fût le seul endroit où vous pouviez prendre le thé. Il y avait un salon (persan), un fumoir (par suite d'une influence inconnue, réservé aux gentlemen) où les fauteuils étaient recouverts de cuir fin, deux bureaux où il était possible de mener un ami intime et d'entretenir une petite conversation, dans un coin tranquille, et aussi, d'écrire une lettre, le cas échéant. En plus de ces agréments, il existait d'autres retraites, invisibles, mais connues de ceux qui les prisaient. Un vaste bar était tenu par deux barmen, un Américain, familier du bourbon, rye et toutes sortes de cocktails, afin de donner aux clients venant de son pays, l'impression d'être chez eux ; un serveur anglais pour s'occuper des sherries et capable, de plus, de soutenir une conversation sur les courses à Ascot et Newbury avec les gentlemen d'entre deux âges qui descendaient au *Bertram* pendant la période des courses les plus importantes de l'année.

Au fond d'un passage, minutieusement dissimulé, se trouvait une salle de télévision pour ceux qui désiraient en suivre les programmes.

Mais le grand hall d'entrée demeurait l'endroit le plus recherché pour s'installer et prendre le thé. Les ladies d'un certain âge, aimaient à voir qui entrait et sortait, reconnaissant au passage quelque ami ancien, et soulignant avec malignité à quel point ce dernier avait vieilli. Les touristes américains étaient fascinés en assistant au spectacle des personnalités s'installant pour le traditionnel thé anglais. Cette cérémonie était un des titres de gloire du *Bertram*.

Il faut en convenir : ce n'était rien moins que splendide. Présidant au rituel, officiait Henry, un personnage magnifique ayant dépassé la cinquantaine, d'un volume imposant, sympathique et possédant les manières courtoises de cette espèce disparue depuis longtemps : le parfait maître d'hôtel. De minces jeunes gens s'activaient sous sa directive sans faiblesse.

De lourds plateaux d'argent, frappés aux armes de l'hôtel, accompagnaient les pots de thé de l'époque des rois George d'Angleterre. La porcelaine, si elle ne provenait pas vraiment de Rockinghamm et de Davenport, n'en avait pas moins l'apparence. Les services de Blind Earl s'accordaient à la mode ancienne. Le thé était le plus délicat, Indien, Ceylan, Darjiling, Lapsang, etc. Quant aux victuailles, vous pouviez demander n'importe quoi... et l'obtenir !

En ce jour particulier, le 17 novembre, lady Selina Hazy, soixante-cinq ans, venue de Leicestershire, dégustait des muffins (1) délicieusement beurrés, avec tout le plaisir qu'éprouve une lady plus très jeune à se laisser aller à la gourmandise.

Son intérêt pour les muffins ne l'empêchait pas de lever les yeux chaque fois que les doubles portes s'ouvraient pour livrer passage à un nouveau venu.

C'est ainsi qu'elle sourit et inclina la tête pour saluer l'arrivée du colonel Luscombe, raide, solennel, jumelles de courses pendues autour du cou. La vieille autocrate qu'était lady Hazy adressa des signes impératifs au vieux soldat et, au bout d'une ou deux minutes, Luscombe s'avança vers sa table.

— Hello ! Selina ! Qu'est-ce qui vous amène à Londres ?

— Un rendez-vous chez le dentiste, répondit lady Selina assez indistinctement, à cause d'une bouchée de muffin. Et j'ai pensé que je pourrais en profiter pour aller voir cet homme dans Harley Street, au sujet de mon arthrite. Vous savez de qui je veux parler ?

Bien qu'Harley Street compte plusieurs centaines de praticiens à la mode, pour toutes sortes d'indispositions, Luscombe savait auquel lady Selina faisait allusion.

— Etes-vous satisfaite de cette visite ?

— Je le crois. Une personnalité extraordinaire ! Il

(1) *Muffin* : sorte de galette pour le thé.

m'a attrapée par le cou au moment où je m'y atten-
dais le moins, et me l'a tordu comme s'il étranglait
un poulet.

Elle tourna la tête avec précaution.

— Cela vous a-t-il fait souffrir ?

— J'aurais dû, à la façon dont il s'y est pris, mais
je n'ai pas vraiment eu le temps de m'en rendre
compte. Je ne sens aucune douleur. Je suis à présent
capable de regarder par-dessus mon épaule droite,
comme cela ne m'est pas arrivé depuis bien des
années.

Elle appuya cette remarque d'une démonstration
prudente et s'exclama :

— Mais il me semble bien que c'est cette vieille
Jane Marple qui arrive ! Je la croyais morte depuis
longtemps ! Elle paraît avoir cent ans !

Le colonel jeta un coup d'œil distrait dans la
direction de Jane Marple ainsi ressuscitée. Le *Bertram* hébergeait toujours un choix de ce qu'il appelait
de vieilles chattes quelque peu pelées.

Lady Selina poursuivait son bavardage :

— Le seul endroit à Londres où l'on trouve encore
des muffins. De vrais muffins ! Figurez-vous que
lorsque je suis allée en Amérique, l'année dernière,
j'ai lu sur les menus du petit déjeuner qu'on servait
des muffins. Mais, à la vérité, il s'agissait de sorte de
gâteaux grillés et beurrés, contenant des raisins secs.
Je vous demande un peu pourquoi appeler cela des
muffins ?

Elle engloutit la dernière bouchée et jeta un coup
d'œil vague alentour. Henry se matérialisa immédiatement. Pas en accourant ni en s'empressant. Il
sembla seulement apparaître brusquement.

— Puis-je vous apporter autre chose, Madame ? Des gâteaux ?

— Gâteaux ?

Lady Selina médita un instant.

— Nous avons de très bons « seed cake » (1), Madame.

— « Seed cake ». Je n'en ai pas mangé depuis bien des années. Voulez-vous dire de vrais « seed cake » ?

— Certainement, Madame. Le cuisinier utilise la même recette depuis très longtemps. Vous les apprécierez, j'en suis sûr.

Henry lança un regard à un de ses garçons, qui partit aussitôt à la recherche de « seed cake ».

Lady Selina se tourna vers le colonel.

— Je suppose que vous êtes allé à Newbury, Derek ?

— Oui. Il y faisait diablement froid ! Je n'ai pas attendu les deux dernières courses. Uue journée désastreuse. Cette pouliche d'Harry ne fut pas bonne du tout.

— Je n'imaginais pas qu'elle terminerait placée. Et Sawnhilda ?

— Il est arrivé quatrième. (Luscombe se leva.) Excusez-moi, il faut que je m'occupe de ma chambre.

Il se dirigea vers le bureau de réception et observa au passage les tables et leurs occupants. Etonnant, le nombre de gens qui prenaient leur thé en cet endroit ! Un peu comme au temps d'autrefois. La coutume de prendre un thé servant de dîner avait disparu presque

(1) *Seed cake* : gâteau parfumé au carvi ou à l'anis.

complètement depuis la guerre. Mais manifestement
pas au *Bertram*. Qui étaient donc tous ces gens ? Il
reconnut deux chanoines avec le doyen de Chisle-
hampton et, dans un coin, une autre paire de jambes
guêtrées : un évêque pour le moins ! Les simples
vicaires étaient rares. « Il faut être au moins chanoine
pour avoir les moyens de descendre au *Bertram*,
pensa-t-il. Le petit clergé ne peut se payer ce luxe. »
Cette déduction le conduisit à se demander comment
diable, des personnes telles que Selina Hazy pouvaient se trouver là. Elle devait disposer d'environ
cent livres par an. Et la vieille lady Berry et Mrs Pos-
selthwaite du Somerset et Sybil Ken, toutes aussi
pauvres que des rats d'église.

Méditant toujours sur ce sujet, il arriva au bureau,
derrière lequel Miss Gorringe l'accueillit. Miss Gorringe était une vieille amie. Elle connaissait chacun
des clients et n'oubliait jamais un visage. Elle paraissait mal fagotée, mais respectable. Cheveux jau-
nâtres, frisés (probablement au fer, à l'ancienne
mode), robe de soie noire, poitrine haute sur laquelle reposaient un large médaillon en or et un
camée.

— Numéro 14, proposa-t-elle. Je crois que vous
aviez cette chambre et qu'elle vous plaisait lors de
votre dernier passage, colonel Luscombe. C'est une
pièce très calme.

— Comment arrivez-vous à vous souvenir de ces
détails ? Je ne parviens pas à le comprendre,
Miss Gorringe.

— Nous aimons à donner à nos vieux clients une
atmosphère de confort.

— Cela me reporte bien loin en arrière de revenir ici. Rien ne semble y avoir changé.

Il s'interrompit alors que Mr Humfries émergeait d'un cabinet privé pour le saluer. Mr Humfries était souvent pris par les non initiés, pour Mr Bertram lui-même. Qui était Mr Bertram ? Avait-il jamais existé ? Question jadis débattue mais perdue depuis longtemps, dans la poussière des années enfuies. Le *Bertram* lui, existait depuis environ 1840, mais personne ne s'était jamais préoccupé de retracer son histoire. Il était là, solide, et cela suffisait. Lorsqu'on l'appelait Mr Bertram, Mr Humfries ne reprenait jamais son interlocuteur. Si sa clientèle voulait qu'il soit Mr Bertram, pourquoi la contrarier ? Le colonel Luscombe connaissait son nom, bien qu'il ne sût pas s'il était le gérant ou le propriétaire de l'hôtel. Le colonel optait pour la seconde hypothèse.

Mr Humfries était un homme d'environ cinquante ans, possédant de belles manières et la prestance d'un secrétaire d'Etat. Il se montrait à la hauteur de n'importe quelle conversation : turf, cricket, politiques étrangères, savait raconter des anecdotes sur la famille royale, fournir des informations sur le salon automobile, donner la liste des pièces de théâtre les plus intéressantes de la saison, indiquer aux Américains ce qu'ils devaient vraiment voir en Angleterre, quelle que soit la durée de leur séjour. Il pouvait encore conseiller les personnes plus ou moins fortunées et de goûts différents sur les restaurants où dîner. Mais il ne montrait pas le moindre empressement à faire profiter de ses connaissances ceux qui ne lui demandaient rien.

A brefs intervalles, Mr Humfries faisait de courtes

apparitions et flattait un client en lui accordant une attention particulière. Cette fois, ce fut le colonel Luscombe qui en fut honoré. Ils échangèrent quelques platitudes de turfistes, mais le colonel avait l'esprit absorbé par son problème et il se trouvait en présence de l'homme qui pouvait lui en fournir la solution.

— Dites-moi, Humfries, comment toutes ces vieilles ladies arrivent-elles à pouvoir s'offrir un séjour ici ?

— Oh ! cette question vous intéresse vraiment ? (Mr Humfries parut amusé.) C'est très simple. Elles ne pourraient se l'offrir si...

Il fit une pause et le colonel enchaîna :

— Si vous ne leur faisiez des prix. C'est cela ?

— Plus ou moins. Elles ne savent pas qu'elles bénéficient de tarifs spéciaux et si elles s'en rendent compte, elles pensent que c'est parce qu'elles sont d'anciennes habituées.

— N'est-ce pas la vraie raison ?

— Colonel Luscombe, je dirige un hôtel. Je ne pourrais me permettre de perdre de l'argent.

— Comment compensez-vous ce déficit, alors ?

— Grâce à l'atmosphère de l'hôtel. Les étrangers qui arrivent dans notre pays (les Américains en particulier, car ce sont eux qui ont le plus d'argent), ont une idée assez particulière de ce qu'est l'Angleterre. Je ne fais pas allusion, bien sûr, aux riches hommes d'affaires qui traversent régulièrement l'Atlantique. Ceux-là descendent généralement au *Savoy* ou au *Dorchester*, car ils veulent un décor moderne et une nourriture américaine. Mais il y a beaucoup d'étrangers qui voyagent peu et qui s'attendent à ce que notre pays ressemble, peut-être pas à ce qu'il était du temps de Dickens, mais ils ont lu *Cranford* et Henry James et souhaitent trouver ici quelque chose qu'ils n'ont pas coutume de voir dans leur pays. Après leur visite, ils retournent parmi leurs amis et commentent : « Il y a un hôtel étonnant à Londres, qui s'appelle le *Bertram*. Exactement comme si l'on était transporté cent ans en arrière. La vraie vieille Angleterre ! Et les clients qui y descendent ! Des personnages que vous ne rencontrez nulle part ailleurs. De charmantes vieilles duchesses. On peut y déguster tous les mets suivant les anciennes recettes : un extraordinaire beefsteak pudding. Vous n'avez jamais rien goûté de pareil ! et d'imposants aloyaux, d'étonnantes selles de mouton et un thé anglais à l'ancienne, avec un merveilleux breakfast. » Un tas d'autres choses, allant de pair avec tout cela. L'endroit est, de plus, confortable et bien chauffé. De grands feux de bois !

Mr Humfries interrompit ses impressions et se permit un semblant de sourire.

— Je vois, déclara pensivement Luscombe. Tous ces gens de l'aristocratie appauvrie servent, en somme, à la *mise en scène* (1) ?

Mr Humfries hocha la tête en signe d'assentiment.

— Je me demande vraiment comment personne n'y a pensé avant vous, Colonel. Naturellement, j'ai trouvé le *Bertram* déjà tout fait, si je puis me permettre l'expression. Il n'avait besoin que d'une restauration assez coûteuse. Tous ceux qui viennent ici,

(1) En français dans le texte.

pensent que c'est un endroit qu'ils ont découvert et
que personne d'autre ne connaît.

— Je suppose que la restauration fut très coûteuse ?

— Oui. L'ensemble doit paraître édouardien et
posséder cependant le confort moderne auquel nous
sommes habitués. Nos chères vieilles, pardonnez-moi
de les appeler ainsi, doivent avoir l'impression que
rien n'a changé depuis le dernier siècle, et nos clients
de passage doivent se sentir bien, dans un mobilier
ancien, mais retrouver en même temps ce dont ils
jouissent chez eux et dont ils ne peuvent plus se
passer.

— Ce doit être difficile de combiner les deux.

— Pas tellement. Prenez le chauffage central, par
exemple. Les Américains demandent, exigent devrais-
je dire, une température d'au moins dix degrés Fah-
renheit de plus que les Anglais. Pour cela, nous
avons créé deux catégories de chambres : les unes
plus chauffées que les autres. A première vue, elles
sont semblables, mais elles contiennent des artifices
différents : rasoirs électriques, douches et bains, et un
petit déjeuner américain : céréales, jus d'orange glacé
et le reste. D'un autre côté, il y a le petit déjeuner
anglais.

— Œufs au bacon ?

— Exactement. Vous pouvez demander aussi, si
vous le voulez : harengs, rognons au bacon, jambon
d'York, marmelades d'Oxford.

— Il faut que je me souvienne de cela demain
matin. Impossible de trouver un tel choix chez soi.

Humfries sourit.

— La plupart des gentlemen demandent simplement œufs au bacon. Ils ont, disons, perdu l'habitude de penser aux variétés qui existaient.

— C'est vrai. Je me souviens lorsque j'étais enfant, des buffets couverts de plats chauds. Oui, c'était une manière de vivre luxueuse.

— Nous nous efforçons de présenter à nos clients ce qu'ils demandent.

— Y compris seed cake et muffins, je vois. A chacun suivant ses désirs. Assez marxiste, en fait.

— Je vous demande pardon ?

— Simplement une idée, Humfries. Les extrêmes se rencontrent.

Le colonel s'éloigna en prenant la clef que lui présentait Miss Gorringe. Un groom s'avança vers lui et le conduisit à l'ascenseur. Luscombe vit, au passage, que lady Selina Hazy se trouvait à présent assise en compagnie de son amie Jane « il ne savait plus quoi... ».

CHAPITRE II

— Et je suppose que vous habitez toujours ce chet St. Mary Mead ? demandait lady Selina. Un si charmant village encore à l'abri de la civilisation moderne. J'y pense bien souvent. Toujours le même, j'imagine ?

— Pas exactement.

Miss Marple se remémora certains aspects nouveaux de son lieu de résidence. Le lot de terrains à bâtir, la récente aile ajoutée au collège, la nouvelle apparence de la High Street avec ses devantures modernes.

Elle soupira.

— On doit accepter les changements, sans doute.

— Le progrès, appuya vaguement lady Selina, bien qu'il me semble souvent que ce ne soit pas là du progrès. Toutes ces belles installations de plomberie qu'ils font à l'heure actuelle. Tous ces dégradés de teintes. Mais est-ce qu'aucun de ces conseils « tirez » ou « poussez » fonctionne vraiment ? Chaque fois que vous allez chez une amie, vous trouvez quelque sorte d'avis dans les lavabos : « Poussez à gauche ! » « Lâchez brusquement ! » De nos jours, il suffisait de tirer une poignée de n'importe quelle manière, et des cataractes d'eau déferlaient instantanément. Voici le cher évêque de Medmenham, coupa brusquement la bavarde, alors qu'un ecclésiastique âgé et de belle prestance passait près de leur table. Il est presque complètement aveugle, je crois. Un prêtre jadis si actif, cependant !

Une petite conversation sur ce thème s'ensuivit, émaillée par les exclamations de lady Selina, notant au passage différents amis. Miss Marple et elle évoquèrent les « vieux jours » bien que l'éducation de Miss Marple ait été assez différente de celle de lady Selina, et leurs souvenirs se réduisaient surtout aux années pendant lesquelles lady Selina, veuve depuis peu et possédant des ressources brusquement réduites, avait acheté une petite villa à St. Mary Mead, non loin d'un champ d'aviation où son second fils accomplissait son service militaire.

— Descendez-vous toujours à cet hôtel lorsque vous venez à Londres, Jane ? Il est curieux que je ne vous y aie pas rencontrée auparavant ?

— Oh, non ! Je ne pourrais me l'offrir et de toute manière je ne quitte ma maison que très rarement à présent. Non, c'est une de mes nièces, très gentille, qui voulut me faire plaisir en pensant qu'un séjour à Londres serait une fête pour moi. Joan est une charmante fille, bien qu'en fait elle ne soit plus une enfant (Miss Marple réalisa soudain avec angoisse que Joan devait bientôt approcher la cinquantaine).

Elle est peintre, vous savez, un peintre assez connu ?
Joan West. Elle a exposé il n'y a pas longtemps.

Lady Selina s'intéressait peu aux peintres, ni en
fait à tout ce qui touchait à l'art. Elle rangeait les
écrivains, les artistes et les musiciens dans une même
catégorie : des sortes d'animaux accomplissant des
performances habiles, auxquels elle accordait une
certaine indulgence sans se demander la raison qui
les poussait à se lancer dans ces exercices.

— Elle travaille cette peinture moderne, je suppose, remarqua-t-elle les yeux dans le vague. Tiens,
voici Cicely Longhurst. Je vois qu'elle s'est encore
teint les cheveux.

— Je crains que Joan soit assez moderne, en effet,
acquiesça Miss Marple.

En cela, la vieille demoiselle se trompait. Joan
West avait été moderne, environ vingt ans plus tôt,
mais était considérée par les jeunes artistes *arrivistes*
comme appartenant à l'ancienne mode.

Jetant un coup d'œil distrait sur les cheveux de
Cicely Longhurst, Miss Marple repensa à la gentil-
lesse de Joan. Cette dernière avait suggéré à son
mari : « Je voudrais que nous fassions quelque chose
pour notre pauvre vieille tante Jane. Elle ne sort
jamais de chez elle. Pensez-vous qu'elle aimerait aller
à Bournemouth pour une ou deux semaines ? »
« Bonne idée », avait répondu Raymond West qui se
sentait d'humeur généreuse depuis que son dernier
livre remportait un beau succès.

— Je crois qu'elle a aimé son voyage aux Antilles,
bien qu'elle fût malheureusement mêlée à une histoire
de meurtre. Ce n'est pas bon pour elle, à son âge.

— Il semble que ce genre de chose lui arrive toujours.

Raymond aimait beaucoup sa vieille tante et il inventait constamment quelque nouvelle surprise pour lui faire plaisir, et lui envoyait des livres qu'il pensait devoir l'intéresser. Il était surpris de ses refus fréquents devant ses surprises et, bien qu'elle affirmât que les livres étaient « tellement intéressants », il la soupçonnait souvent de ne pas les lire. Mais bien sûr, sa vue n'était plus très bonne à présent.

Raymond West se trompait là-dessus. Miss Marple jouissait d'une excellente vue pour son âge et observait en ce moment tout ce qui se passait autour d'elle avec un intérêt et un plaisir constants.

Devant l'offre de Joan de passer quelques jours dans un des meilleurs hôtels de Bournemouth, Miss Marple avait hésité et murmuré :

— C'est vraiment très aimable à vous, ma chère, mais je ne pense pas...

— Cependant cela vous ferait du bien, tante Jane. Ne serait-ce que pour profiter d'un simple changement d'air. S'éloigner de chez soi, donne des idées nouvelles et de nouveaux souvenirs.

— Vous avez entièrement raison sur ce point, et j'aimerais effectuer une petite visite à quelque endroit, mais... pas Bournemouth. Peut-être...

Joan parut surprise. Elle avait pensé que Bournemouth aurait été La Mecque de tante Jane.

— Eastbourne ? Ou Torquay ?

— Ce que j'aimerais vraiment...

Miss Marple s'interrompit, gênée.

— Dites ? l'encouragea Joan.

— Je crains que vous ne trouviez mon idée stupide...

— Je suis sûre que non.

— J'aimerais beaucoup aller à l'hôtel *Bertram*, à Londres.

L'hôtel *Bertram* ?

Le nom était vaguement familier à Joan. Miss Marple parla avec volubilité.

— J'y suis descendue une fois, lorsque j'avais quatorze ans, avec mon oncle et ma tante. Il s'agissait de l'oncle Thomas, chanoine d'Ely. Je n'ai jamais oublié cet hôtel. Si je pouvais y rester, une semaine serait largement suffisante, deux pourraient coûter trop cher.

— Ça n'a pas d'importance. Naturellement, vous irez. J'aurais dû penser que vous aimeriez vous rendre à Londres : les magasins et l'atmosphère. Nous allons arranger cela. Si le *Bertram* existe toujours ! Il y a tellement d'hôtels qui ont disparu pendant la guerre, certains bombardés et, d'autres, simplement abandonnés.

— Non, je sais que le *Bertram* existe encore. J'en ai reçu une lettre de mon amie américaine, Amy McAllister, de Boston. Son mari et elle y sont descendus il y a quelque temps.

— Bien, je vais alors m'occuper de vous y retenir une chambre.

Elle ajouta doucement :

— J'ai peur que vous ne le trouviez beaucoup changé.

Mais le *Bertram* n'avait pas changé. Il offrait la même apparence qu'il avait toujours eue. Assez miraculeusement, de l'avis de Miss Marple. En fait, elle se

demanda : presque trop beau pour être vrai ? Elle
admit, avec sa lucidité habituelle, que ce qu'elle voulait était simplement raviver ses souvenirs du passé
pour tenter de leur redonner leur couleur originale.
La plus grande partie de sa vie devait, désormais,
être consacrée à se souvenir des joies anciennes. Rencontrer quelqu'un avec qui les évoquer, procurait un
immense bonheur. Mais à présent ce n'était pas
facile, car Miss Marple avait survécu à la plupart de
ses contemporains. Cependant, elle se plaisait encore
à se rappeler. Aussi étrange que cela puisse paraître,
ces images d'un temps révolu lui donnaient une vitalité nouvelle. Jane Marple, cette jeune fille ardente,
rose et blanche. Une bien sotte jeune fille, sur bien
des points. Quel était donc le nom de ce jeune
homme si mal fagoté ? Voyons ? Elle ne s'en souvenait même plus à présent ! Combien sa mère avait eu
raison de démolir cette amitié trop rapide. Jane avait
eu l'occasion de rencontrer ce même jeune homme
quelques années plus tard, et vraiment... il était
devenu absolument épouvantable ! A l'époque de leur
séparation, elle avait pleuré chaque nuit, pendant au
moins une semaine !

La voix de lady Selina rompit le cours des médita-
tions de Miss Marple.

— Ah ! Par exemple ! Est-ce bien... mais oui !
Voici Bess Sedgwick, là-bas ! De tous les endroits
invraisemblables...

Jusqu'ici, Miss Marple n'avait écouté que d'une
oreille les commentaires de sa voisine sur les groupes environnants. Toutes deux côtoyaient des cercles
complètement opposés, de sorte que Miss Marple
n'avait pu parler des scandales fameux sur les amis

ou relations que lady Selina reconnaissait ou pensait reconnaître. Mais Bess Sedgwick était différente. Un nom que presque tout le monde connaissait en Angleterre. Depuis plus de trente ans, la presse rapportait les exploits, voire les extravagances dont Bess Sedgwick était l'auteur. Durant la guerre, elle s'était jointe à la Résistance française et on disait qu'elle avait six encoches gravées sur son revolver, rappelant les Allemands abattus par elle. Elle avait volé seule au-dessus de l'Atlantique, et plusieurs années auparavant parcouru l'Europe à cheval. Elle était familière avec la conduite de voitures automobiles de courses. Un jour, elle sauva deux enfants d'une maison en flamme. A son crédit et discrédit, elle comptait plusieurs mariages et détenait la réputation d'être la deuxième femme la mieux habillée d'Europe. On chuchotait aussi qu'elle s'était introduite en fraude, et avec succès, à bord d'un sous-marin nucléaire lors de son premier essai.

C'est pourquoi, en entendant prononcer son nom, Miss Marple se redressa avec le plus vif intérêt, une lueur d'admiration brillant dans son regard.

De tout ce qu'elle espérait voir au *Bertram*, Bess Sedgwick était la personnalité qu'elle s'attendait le moins à y trouver. Un cabaret chic ou un café de routiers, ces deux extrêmes, semblaient mieux convenir à la panoplie étendue des qualités de Bess Sedgwick. Dans cet hôtel à l'ancienne mode et profondément respectable, elle semblait étrangement insolite. Cependant, Bess Sedgwick s'y trouvait.

Il ne se passait pas un mois sans que le visage de cette femme célèbre n'apparaisse dans un magazine de mode ou dans un journal populaire. Et à présent, elle se montrait en personne, fumant nerveusement une cigarette et contemplant avec surprise le large plateau de thé posé devant elle, comme si c'était la première fois qu'elle en voyait un. Elle avait commandé... Miss Marple plissa les yeux pour mieux distinguer, car elle était assez éloignée de la scène, oui, des doughnuts (1). Intéressant... Bess Sedgwick écrasa sa cigarette dans sa soucoupe, prit un doughnut dans lequel elle mordit à belles dents. Une giclée de confiture de fraises se répandit sur son menton. Bess se renversa la tête en arrière et éclata de rire, le son le plus bruyant et le plus gai qui ait retenti dans le hall du *Bertram* depuis longtemps.

Henry fut immédiatement à ses côtés, lui tendant une fine serviette délicate. Elle la prit, se frotta le menton avec la vigueur d'un écolier en s'exclamant :

— Voilà ce que j'appelle un vrai doughnut !

Elle abandonna la serviette sur le plateau et se leva. Comme de coutume, tous les yeux étaient fixés sur elle. Elle en avait l'habitude. Peut-être cela lui plaisait-il ? Peut-être ne s'en apercevait-elle plus ? Elle valait la peine d'être regardée. Une femme impressionnante, plus que belle : cheveux d'un platine très pâle, lui tombant sur les épaules, ovale du visage parfait. Le nez légèrement aquilin, les yeux enfoncés et d'un gris le plus pur. Sa bouche large lui donnait l'attrait que possèdent les vraies comédiennes. Sa robe était d'une telle simplicité qu'elle intriguait la plupart des hommes. En apparence, la plus grossière toile à sac ne portant aucun ornement,

---

(1) Beignets souvent remplis de confiture.

ni couture ou fermeture apparente. Mais les femmes savaient mieux juger. Même les ladies provinciales du *Bertram* se doutaient que ce vêtement coûtait une somme énorme !

Traversant le hall à grandes enjambées pour atteindre l'ascenseur, Bess passa près de la table occupée par lady Selina et Miss Marple. Elle fit un signe de tête à l'adresse de la première.

— Hello, Selina ! Je ne vous ai pas revue depuis Crufts (1). Comment vont les Borzois ?

— Que diantre faites-vous ici, Bess ?

— J'y reste quelque temps. J'arrive de Land's End (2) en voiture. Quatre heures trois quarts... Pas une mauvaise moyenne !

— Vous vous tuerez un jour ! Ou quelqu'un d'autre.

— Oh ! J'espère bien que non.

— Mais pourquoi venez-vous ici ?

Bess jeta un rapide coup d'œil alentour.

— On m'a conseillé de l'essayer et je ne regrette pas d'avoir suivi ce conseil. Je viens juste de goûter le plus merveilleux doughnut !

— Ma chère, on sert aussi de vrais muffins.

— Incroyable !

Elle hocha la tête et poursuivit son chemin vers l'ascenseur.

— Une fille extraordinaire, remarqua lady Selina qui, comme Miss Marple, considérait que toute femme de moins de soixante ans était encore une jeunesse. Je la connais depuis qu'elle était enfant.

---

(1) Exposition de chiens très célèbre à Londres.
(2) *Land's End* : Finistère anglais.

Personne ne pouvait rien faire d'elle. A seize ans, elle s'est sauvée avec un palefrenier irlandais. Ses parents réussirent à la récupérer à temps, ou peut-être trop tard. En tout cas, ils se débarrassèrent du garçon et marièrent leur fille, par prudence, au vieux Coniston, de trente ans plus âgé qu'elle. Insupportable personnage qui se montra cependant assez épris d'elle. Ça n'a pas duré longtemps. Elle changea pour Johnnie Sedgwick et se serait peut-être rangée si, au cours d'un steeple-chase, il ne s'était pas brisé le cou. Elle épousa ensuite Ridgway Becker, un yatchman américain. Ils ont divorcé il y a trois ans et, depuis, on dit qu'elle se montre beaucoup avec un pilote d'automobiles de course... un certain Pole ou quelque chose comme ça. Je ne sais s'ils sont mariés, mais depuis son divorce américain, Bess a repris son nom de Sedgwik. Elle sort avec les gens les plus incroyables. On dit qu'elle se drogue, mais de cela je ne suis pas sûre.

— Savoir si elle est si heureuse, soupira pensivement Miss Marple.

Lady Selina, qui ne s'était certainement jamais posé la question, parut étonnée.

— Elle a beaucoup d'argent... du moins, je le crois. Pension alimentaire et tout le reste. Mais, bien sûr, ce n'est pas là tout ce qui compte.

— Assurément, non.

— Elle a toujours un ou plusieurs hommes à sa suite.

— Oui ?

— Naturellement, lorsqu'une femme atteint son âge, elle n'en demande pas plus et, cependant...

— Non, je ne crois pas qu'il y ait autre chose.

Certaines personnes auraient souri avec dérision en entendant ce discours tenu par une lady vieux jeu, pouvant difficilement prétendre avoir beaucoup d'expérience sur ce sujet, et Miss Marple traduisit par « toujours trop éprise des hommes ». Mais lady Selina, loin de sourire, accepta la réponse de son amie comme une interprétation de sa propre pensée.

— Il y a toujours eu beaucoup d'hommes dans sa vie, reprit-elle.

— Peut-être, mais je dirais, ne croyez-vous pas, qu'ils étaient pour elle une aventure, non une nécessité ?

Miss Marple soupira et leva les yeux sur l'horloge ancienne qui égrenait son tic-tac paisible. Elle se leva avec le lent effort que lui imposaient ses rhumatismes et se dirigea avec précaution vers l'ascenseur.

Lady Selina, abandonnée, jeta un coup d'œil alentour et concentra son attention sur un gentleman d'un certain âge, l'air rigide, qui lisait le *Spectator* (1).

— Quel plaisir de vous revoir... euh... général Arlington, n'est-ce pas ?

Mais avec une parfaite courtoisie, le gentleman s'excusa de n'être pas le général Arlington. Lady Selina n'en parut pas autrement troublée. Affectée d'une mauvaise vue, elle n'en restait pas moins optimiste et, parce que le plaisir qu'elle prisait le plus était de rencontrer des amis ou des relations il lui arrivait souvent de commettre ce genre d'erreur.

Au *Bertram*, c'était d'ailleurs un fait assez courant dû à l'éclairage neutre et délicatement tamisé. Ainsi

_____

(1) *Le Spectator* : magazine de tendance conservatrice.

personne ne s'offensait jamais d'une telle faute, beaucoup y trouvaient même un certain plaisir.

Miss Marple sourit intérieurement, alors qu'elle attendait l'ascenseur. C'est bien de Selina ! Toujours convaincue de connaître tout le monde. Elle n'aurait pu, pour sa part, rivaliser avec son amie.

L'ascenseur atteignit le rez-de-chaussée et le groom en ouvrit la porte. A la surprise de Miss Marple, la passagère qui en émergea était Bess Sedgwick que tout le monde dans le hall avait vu emprunter l'engin quelques minutes plus tôt.

Avançant le pied, lady Sedgwick s'immobilisa soudain. Le mouvement fut si brusque que Miss Marple, intriguée, s'arrêta à son tour. Bess Sedgwick fixait un point au-delà de l'épaule de la vieille demoiselle avec une telle intensité que Miss Marple tourna la tête à son tour.

Le portier venait juste de pousser les battants de la double porte d'entrée pour laisser deux femmes pénétrer dans le hall : l'une, l'air affairé et portant un chapeau à fleurs violettes, désastreux, et l'autre, grande, habillée simplement mais avec élégance : une jeune fille d'environ dix-sept ans aux longs cheveux blond pâle.

Bess Sedgwick se reprit, pivota sur elle-même et retourna dans l'ascenseur. Alors que Miss Marple la suivait, elle s'adressa à elle en s'excusant :

— Pardonnez-moi. Je vous ai presque bousculée. (Sa voix avait un accent amical.) Je viens de me souvenir que j'ai oublié quelque chose dans ma chambre.

— Deuxième étage, annonça le groom à l'adresse de Miss Marple.

La vieille demoiselle hocha la tête et sourit en réponse à l'excuse. Elle sortit et se dirigea lentement vers sa chambre, repassant dans son esprit, avec plaisir, comme il lui arrivait souvent, divers petits problèmes sans importance.

Par exemple, ce que lady Sedgwick venait de dire n'était pas vrai. Elle ne s'était pas rendue dans sa chambre car elle n'en avait pas eu le temps. C'est en montant qu'elle dut se souvenir d'avoir oublié quelque chose dans le hall et elle était redescendue pour le chercher. Le certain, plutôt, c'est qu'en sortant de l'ascenseur elle vit quelqu'un dont la présence incita à tourner le dos et à remonter dans sa chambre. Il devait s'agir des deux nouvelles arrivantes : la femme d'entre deux âges et la jeune fille. Mère et fille ? Non, Miss Marple hocha la tête. Pas mère et fille.

Même au *Bertram*, pensa-t-elle, heureuse, des événements intéressants pouvaient se produire.

CHAPITRE III

— Excusez-moi, le colonel Luscombe est-il... ?

La femme au chapeau violet se tenait devant le bureau de réception. Avant qu'elle n'ait fini de formuler sa demande, Miss Gorringe, souriante, fit un signe à un groom qui partit aussitôt, mais il n'eut pas à aller loin car le colonel Luscombe, lui-même, pénétrant à ce moment dans le hall, s'avançait vivement vers la réception.

— Comment allez-vous, Mrs Carpenter ? (Il échangea une poignée de main polie avec la dame et se tourna vers la jeune fille.) Ma chère Elvira ! (Il lui prit affectueusement les deux mains dans les siennes.) Eh bien ! eh bien ! tout est parfait. Splendide... ! Splendide ! Venez vous asseoir.

Il les conduisit vers des fauteuils.

— Eh bien ! eh bien ! répéta-t-il, tout est parfait.

L'effort qu'il fournissait était visible et démontrait son manque d'aisance. Il ne pouvait continuer à répé-

ter la même phrase. Les deux ladies ne l'aidaient
guère. Elvira souriait gentiment et Mrs Carpenter eut
un gloussement stupide tout en lissant ses gants.

— Un bon voyage, hé ?

— Oui, merci, répondit Elvira.

— Pas de brouillard ? Aucun ennui ?

— Oh ! non !

— Notre avion est arrivé avec cinq minutes
d'avance, le renseigna Mrs Carpenter.

— Oui, oui. Bien... très bien. (Il tenta un gros
effort pour ajouter :) J'espère que cet hôtel vous
plaira ?

— J'en suis sûre, répondit vivement Mrs Carpenter en jetant un coup d'œil alentour. Très confortable !

— J'ai peur que ce soit plutôt vieux jeu, s'excusa-
t-il. La clientèle compte surtout de vieilles gens.
Pas de... heu... piste de danse ou autre agrément de
la sorte.

— Non, je ne pense pas, en effet, concéda
Elvira.

Ele regarda autour d'elle sans grand enthousiasme. Certainement impossible d'assimiler le *Bertram* et la danse.

— J'aurais peut-être dû vous emmener dans un
endroit plus moderne. Je ne m'y connais pas beaucoup en ces choses, vous savez.

— C'est très gentil ici, protesta poliment Elvira.

— Ce n'est que pour deux nuits, reprit le colonel.
J'ai pensé que ce soir, nous pourrions aller voir un
« show ». Une comédie musicale... *let Down Your
Hair, Girls*. Peut-être cela vous plaira-t-il ?

— Avec plaisir, s'exclama Mrs Carpenter. N'est-ce pas, Elvira ?

— Assurément, approuva la jeune fille d'un ton neutre.

Le colonel reprit :

— Et ensuite, souper au *Savoy ?*

Nouvelle exclamation de Mrs Carpenter.

Luscombe jeta un coup d'œil à la dérobée sur Elvira et se sentit plus à l'aise. La jeune fille devait être contente bien que déterminée à cacher ses sentiments en présence de Mrs Carpenter. « Je ne l'en blâme pas », pensa le colonel.

Il s'adressa à Mrs Carpenter :

— Voulez-vous voir vos chambres ? Vous rendre compte si elles vous conviennent et contiennent tout ce dont vous aurez besoin ?

— Oh ! je suis sûre qu'elles seront parfaites.

— En tout cas, si quelque chose n'est pas à votre goût, n'hésitez pas à le dire, nous demanderons d'autres chambres. Je suis très connu ici.

A la réception, Miss Gorringe présenta les clefs : numéros 28 et 29, au deuxième étage, avec salle de bains contiguë.

— Je vais monter défaire les valises, annonça Mrs Carpenter en revenant à la table. Pendant ce temps, Elvira, le colonel et vous pourriez avoir une petite conversation.

Une marque de tact, pensa Luscombe, un peu ostentatoire, mais ils seraient au moins débarrassés d'elle durant quelques instants. Il ne savait cependant absolument pas de quoi il parlerait avec la jeune fille. Une charmante enfant, douée de bonnes manières, mais il n'était pas habitué à la compagnie de jeunes

filles. Sa femme était morte en couche, et le bébé, un
garçon, avait été confié à la famille de son épouse,
tandis qu'une sœur plus âgée s'était occupée de son
ménage. Son fils marié s'en était allé vivre au Kenya.
Lors de la dernière visite de ses petits-enfants, onze
ans, cinq ans et deux ans et demi, le colonel les avait
distraits en parlant football, sciences spatiales, trains
électriques et en faisant des promenades à pied !
Mais comment distraire une jeune fille ?

Il demanda à Elvira si elle désirait un rafraîchisse-
ment et allait proposer un « bitter-lemon », « ginger
ale » ou une orangeade, lorsqu'elle le devança :

— Merci. J'aimerais un « gin et vermouth ».

Le colonel la regarda légèrement perplexe. Bien
sûr, il se doutait que les jeunes personnes de... quel
âge avait-elle, au fait ? seize... dix-sept ans ? bu-
vaient des gin et vermouth. Elvira suivait simplement son époque. Rassuré par cette conclusion, il
commanda donc un gin et vermouth et un « dry
sherry » pour lui.

S'éclaircissant la voix, il questionna :

— Comment avez-vous trouvé l'Italie ?

— Très agréable, merci.

— Et cet endroit où vous étiez, chez la comtesse
Machin ? Pas trop triste ?

— La comtesse est assez stricte, mais je n'y ai pas
attaché trop d'importance.

Il la regarda, pas tellement certain que sa réponse
ne contenait pas une légère ambiguïté. Bégayant un
peu, mais recouvrant son assurance, il reprit :

— Je crains que nous ne nous connaissions que
très peu. Je suis votre tuteur et votre parrain, Elvira.
Difficile pour moi, qui ne suis qu'un vieux bon-

homme, de savoir ce qu'une jeune fille souhaite, je
veux dire, ce dont elle a besoin. Il y a d'abord l'école
et après ? De notre temps, on parlait d'institution
pour grandes jeunes filles, mais je suppose qu'à présent c'est plus sérieux. Elles veulent entreprendre une
carrière, travailler. Nous devrons avoir un entretien à
ce sujet. Y a-t-il quelque chose de spécial que vous
aimeriez faire ?

— Je suppose que je m'inscrirai à un cours com-
mercial, répondit-elle sans enthousiasme.

— Ah ! Vous voulez devenir secrétaire ?

— Pas particulièrement.

— Mais... en ce cas...

— C'est seulement parce que c'est ce qu'on l'on
commence par faire, expliqua-t-elle.

Le colonel eut l'impression qu'on le remettait à sa
place.

— Mes cousins, les Melford, vous pensez que
vous aimeriez vivre avec eux ? Sinon...

— Je crois que oui. J'aime bien Nancy et ma
cousine Mildred est charmante.

— Alors, dans ce cas, c'est parfait.

— Absolument. Pour le présent.

Luscombe ne sut que répondre à cela. Alors qu'il
se creusait la tête pour chercher un autre sujet de
conversation, Elvira prit la parole. Ses mots furent
simples et directs.

— Ai-je de l'argent ?

A nouveau, il hésita à répondre, l'examinant pensivement.

— Oui, vous avez pas mal d'argent, vous en dispo-
serez à votre majorité.

— Qui en a la charge pour le moment ?

Il sourit.

— Il se trouve en dépôt. Chaque année, une certaine somme est déduite du revenu pour subvenir à votre entretien et votre éducation.

— Et vous en êtes le dépositaire ?

— L'un d'entre eux. Nous sommes trois dépositaires.

— Qu'adviendra-t-il si je meurs ?

— Voyons, Elvira ! Vous n'allez pas mourir ! Quelle idée ridicule !

— J'espère que non, mais on ne sait jamais, n'est-ce pas ? La semaine dernière, un avion s'est écrasé au sol et tous les passagers sont morts.

— Mais cela ne vous arrivera pas à vous, répliqua-t-il fermement.

— Vous ne pouvez en être sûr. Je désirais seulement savoir à qui irait mon argent, si je mourais.

— Je n'en ai pas la moindre idée, répondit Luscombe irrité. Pourquoi me demandez-vous ça ?

— Cela m'intéresserait de le savoir. Par exemple, quelqu'un aurait-il intérêt à me tuer pour avoir mon argent ?

— Vraiment, Elvira ! Je ne comprends pas comment votre esprit peut s'attacher à de telles pensées !

— Oh ! Ce ne sont que des idées ! Il est bon de connaître les choses et les gens !

— Vous ne feriez pas allusion à la *Mafia* ou autre organisation du même genre, par hasard ?

— Bien sûr que non ! Ce serait stupide. Dites-moi, qui aurait la responsabilité de mon argent si je me mariais ?

— Votre mari, je suppose... Mais, vraiment...

— En êtes-vous sûr ?

— Non, pas le moins du monde. Cela dépend des conditions inscrites dans l'acte notarié réglant les modalités de la conservation. Mais vous n'êtes pas mariée, alors pourquoi vous tourmenter ?

La jeune fille ne répondit pas, perdue dans ses pensées. Finalement, elle lança :

— Voyez-vous jamais ma mère ?

— Quelquefois. Pas très souvent.

— Où se trouve-t-elle en ce moment ?

— Oh !... En voyage.

— Où exactement ?

— France... Portugal... Je ne sais pas.

— Demande-t-elle parfois à me voir ?

Les yeux limpides plongèrent dans le regard du colonel qui ne sut que répondre. Dire la vérité ? Se retrancher dans une remarque vague ? Inventer un bon gros mensonge ? Quelle attitude adopter devant une question si simple, alors que la réponse apparaît très complexe ?

Il avoua tristement :

— Je ne sais pas.

Elvira le regarda gravement et le colonel se sentit mal à l'aise. Il pataugeait. Cette fille devait se demander... elle se demandait... d'ailleurs, à sa place, n'importe quelle autre fille en aurait fait autant.

— Vous ne devez pas penser, Elvira, je veux dire... C'est très difficile à expliquer. Votre mère est, disons, différente des autres.

— Je sais ! Je lis souvent des articles dans les journaux à son sujet. Une personne à part, n'est-ce pas ? En fait, elle est plutôt extraordinaire.

— Oui. C'est exact. Une personne extraordinaire. Mais, très souvent, il n'est pas trop bon d'avoir pour mère une personne extraordinaire. Croyez-moi là-dessus, Elvira.

— Vous n'aimez guère avouer la vérité, il me semble. Mais je crois que vous avez raison au sujet de ce que vous venez de déclarer.

Ils restèrent assis en silence, le regard tourné vers les doubles portes aux massives poignées de cuivre les séparant du monde extérieur.

Soudain, ces battants furent poussés avec violence (un geste assez insolite au *Bertram*), et un jeune homme, vêtu d'une veste de cuir noir, pénétra dans le hall s'avançant à grandes enjambées vers la réception. Sa vitalité était telle que l'hôtel prit aussitôt, par contraste, l'aspect d'un musée avec sa clientèle de reliques poussiéreuses.

Le jeune homme se pencha vers Miss Gorringe pour demander :

— Lady Sedgwick est-elle descendue à cet hôtel ?

Miss Gorringe n'afficha pas, cette fois, son sourire de bienvenue. Ses yeux reflétèrent une certaine dureté.

— Oui.

Avec une mauvaise grâce évidente, elle tendit la main vers le téléphone.

— Voulez-vous... ?

— Non. Je désirerais simplement lui laisser un mot.

Il sortit un pli de sa poche qu'il posa sur le comptoir d'acajou.

— Je voulais m'assurer que c'était le bon hôtel.

Il traduisait une certaine incrédulité, jetant un coup d'œil rapide autour de lui. Son regard passa avec indifférence sur les groupes environnants. Il ne brilla d'aucune lueur en se posant au passage sur la table qu'occupaient Luscombe et Elvira. Le colonel sentit une certaine colère l'envahir. « Quel sauvage ! pensat-il. Elvira est une jolie fille. Lorsque j'étais jeune, j'aurais remarqué une jolie fille au milieu de tous ces fossiles. » Mais le jeune homme ne semblait pas posséder un œil capable d'apprécier les jolies jeunes filles. Il se retourna vers le comptoir et éleva la voix comme pour attirer l'attention de Miss Gorringe.

— Quel est le numéro de téléphone de cet hôtel ? 1129 ?

— Non. 3925.

— *Regent ?*

— Non, *Mayfair.*

Il hocha la tête. Puis, d'une démarche souple, il ressortit, laissant les portes battre derrière lui, avec la même vigueur explosive qu'il avait déployée en entrant. Alors, tout le monde parut retrouver sa respiration, mais on eut du mal à renouer le fil des conversations interrompues.

— Eh bien ! s'exclama le colonel qui faisait un effort pour retrouver l'usage de la parole, vraiment ! Ces jeunes gens à l'heure actuelle...

Elvira souriait. Elle lança :

— Vous l'avez reconnu, n'est-ce pas ? Ladislas Malinowski.

— Oh ! ce type-là... ? (Le nom lui était vaguement familier.) Pilote de voitures de courses, non ?

— Oui. Il a été champion du monde, deux années

de suite. Il a eu un sérieux accident l'année dernière,
mais j'imagine qu'il recommence à conduire à présent. (Elle leva la tête pour écouter.) Tenez, il conduit une voiture de course en ce moment.

Le grondement d'un moteur envahit le hall, venant
de la rue. Le colonel devina que Ladislas Malinowski
était l'un des héros d'Elvira. Pourquoi pas, après
tout ? Cela vaut mieux que ces chanteurs modernes,
Beatles aux cheveux longs ou autres. Luscombe avait
une appréciation très vieux jeu sur les jeunes gens
d'aujourd'hui.

Les portes s'ouvrirent à nouveau et Luscombe,
ainsi que la jeune fille, levèrent les yeux en même
temps. Mais le *Bertram* avait repris son aspect normal. Il s'agissait cette fois d'un ecclésiastique aux
cheveux blancs, qui resta un moment immobile près
de l'entrée, regardant autour de lui d'un air perplexe,
comme quelqu'un qui ne comprend pas où il se
trouve et pourquoi. Un tel comportement n'était pas
nouveau pour le chanoine Pennyfather. Cela lui arrivait dans le train lorsqu'il ne se souvenait plus d'où il
venait, où il se rendait et pour quel motif ! Cela lui
arrivait aussi lorsqu'il marchait dans la rue, ou sié-
geait dans un comité. Ce même jour, cela lui était
arrivé dans sa stalle de la cathédrale alors qu'il ne se
rappelait plus s'il venait de prononcer son sermon ou
s'il devait le prononcer d'un moment à l'autre.

— Je crois que je connais ce vieux garçon,
remarqua Luscombe. Qui est-il donc ? Il me semble
qu'il descend souvent dans cet hôtel. Abercombie ?
Archidiacre Abercombie ? Non, ce n'est pas lui, bien
qu'il lui ressemble assez.

Elvira jeta un vague coup d'œil au chanoine Pennyfather. Comparé à un chauffeur de voiture de course, il ne présentait aucun intérêt. De toute manière, les ecclésiastiques ne l'attiraient pas, bien que depuis son voyage en Italie, elle se reconnût une certaine admiration pour les cardinaux qui, au moins, étaient pittoresques.

Le visage du chanoine s'éclaircit et il hocha la tête d'un air satisfait. Il venait de comprendre où il se trouvait. A l'hôtel *Bertram,* bien sûr ; là où il allait passer la nuit en route pour... Où devait-il donc se rendre ? Chadminster ? Non, non ! Il en arrivait ! Il se rendait... Il se rendait au congrès de Lucerne, naturellement ! Le visage radieux, il s'avança jusqu'au bureau de réception où il fut gracieusement accueilli par Miss Gorringe

— Tellement heureuse de vous revoir, chanoine Pennyfather. Vous avez très bonne mine.

— Merci, merci. J'ai eu une méchante grippe, la semaine dernière, mais j'en suis remis. Vous avez une chambre pour moi. Je vous ai bien écrit ?

Miss Gorringe le rassura :

— Oh, oui ! Chanoine Pennyfather. Nous avons reçu votre lettre. Nous vous avons réservé le numéro 19 que vous aviez la dernière fois.

— Merci, merci. Parce que, voyons, je voudrais la garder pour quatre jours. En fait, je dois aller à Lucerne et je serai absent une nuit, mais j'aimerais que vous me gardiez la chambre. Je laisserai la plupart de mes affaires et n'emporterai qu'un petit sac de voyage en Suisse. Il n'y a aucune difficulté à ce sujet ?

A nouveau, Miss Gorringe le rassura :

— Tout se passera bien. Vous nous avez déjà expliqué tout cela très clairement dans votre lettre.

D'autres personnes, moins bien éduquées, auraient pu dire « très longuement », car la lettre du chanoine était certainement très détaillée.

Toute anxiété dissipée, le chanoine Pennyfather eut un soupir de soulagement et fut dirigé avec ses bagages vers la chambre 19.

Dans la chambre 28, Mrs Carpenter, ayant retiré sa couronne de violettes, arrangeait méticuleusement sa chemise de nuit sur son oreiller. Elle leva les yeux alors qu'Elvira entrait.

— Ah ! vous voici, ma chère. Voulez-vous que je vous aide à ranger vos affaires ?

— Non, merci. Je ne vais pas sortir beaucoup de choses, vous savez.

— Laquelle des chambres préférez-vous ? J'ai demandé à ce qu'on porte vos valises dans l'autre, car j'ai pensé que celle-ci risque d'être un peu trop bruyante.

— C'est très aimable à vous, répondit Elvira de sa voix sans timbre.

— Vous êtes sûre que vous n'avez pas besoin de mon aide ?

— Non, merci, vraiment. Je crois que je vais prendre un bain.

— Une très bonne idée. Prenez la salle de bains la première, car pour ma part je préfère finir de défaire mes valises.

La jeune fille se retira, gagna sa chambre, ouvrit sa valise et jeta quelques vêtements sur le lit, fit couler l'eau de son bain. Retournant dans sa chambre, elle s'assit sur son lit près du téléphone et attendit un moment pour s'assurer qu'on ne la dérangerait pas. Puis, brusquement, elle prit le combiné.

— Ici chambre 29. Pouvez-vous me donner *Regent* 1129, je vous prie ?

CHAPITRE IV

A Scotland Yard, une conférence sans cérémonie suivait son cours. Six ou sept hommes se trouvaient confortablement assis autour d'une table et chacun d'eux était une personnalité importante dans sa spécialité. Le sujet qui occupait l'attention de ces gardiens de la loi avait terriblement pris de l'importance au cours des trois dernières années. Il consistait en séries de crimes dont l'impunité inquiétait la police. Les vols à main armée fructueux ne cessaient d'augmenter. Hold-up de banques, de fourgons transportant la paye des employés, attaques de trains. Un mois ne se passait plus sans qu'un coup audacieux et ingénieux ne fût tenté et réussi.

A un bout de la table, présidait Sir Ronald Graves, assistant commissionnaire de Scotland Yard. Suivant son habitude, il écoutait plus qu'il ne parlait. Au cours de cette conférence, aucun procès-verbal, concernant la routine ordinaire du C.I.D., ne fut rédigé. Il s'agissait d'une conférence à un niveau

élevé, un échange d'idées entre des gens qui considé-
raient les affaires judiciaires d'un point de vue légèrement différent de celui des policiers de rangs infé-
rieurs.

Les yeux de Sir Ronald allèrent lentement de l'un
à l'autre et s'arrêtèrent sur l'homme placé à l'autre
extrémité de la table.

— Eh bien ! Father, prononça-t-il, faites-nous
donc profiter de quelques-uns de vos bons mots.

L'interpellé, inspecteur-chef Fred Davy, avait
acquis son surnom de « Father » du fait que sa
retraite approchait et qu'il paraissait encore plus
vieux que son âge. Il se dégageait de lui une sensation de confortable bonhomie et ses manières étaient
si aimables que nombre de criminels s'y étaient laissé
prendre et s'étaient trouvés bien désagréablement surpris en découvrant en Davy un esprit beaucoup
moins bienveillant et crédule qu'ils ne le croyaient.

— Oui, Father, donnez-nous donc votre opinion,
appuya un autre inspecteur-chef.

— C'est important, soupira Davy, et peut-être que
cela deviendra plus grand encore.

— Lorsque vous dites grand, vous référez-vous
aux chiffres ?

— Sans doute !

Comstock, au visage en lame de couteau et aux
yeux vifs, intervint :

— Pensez-vous que ce serait pour eux un avantage
que d'étendre encore leur maudite entreprise ?

— Oui et non. Cela pourrait facilement tourner au
désastre, mais jusqu'à présent, que le diable les
emporte ! Ils tiennent la situation bien en main.

Le superintendent Andrews, affable, mince, l'air rêveur, déclara pensivement :

— J'ai toujours cru, pour ma part, que la mesure tient une place plus importante que beaucoup ne l'admettent. Prenez un petit commerce dirigé par un seul homme, par exemple. Si cet homme sait administrer son commerce et respecter les limites qu'il ne peut dépasser, l'affaire est un succès certain. Mais considérez une entreprise plus importante, avec davantage de personnel, et vous constaterez peut-être que les mesures normales sont dépassées et qu'un jour ou l'autre l'affaire s'écroulera. Il en est de même avec les grandes chaînes de magasins, qui constituent, désormais, un empire dans l'économie nationale. Si c'est juste assez grand, sans l'être trop, le succès est acquis, sinon, c'est la faillite.

— De quelle importance pensez-vous que soit cette affaire ? s'enquit Sir Ronald.

— Elle atteint des proportions que nous ne soupçonnions pas tout d'abord.

Un homme à l'aspect brutal, l'inspecteur McNeill, prit la parole :

— Je suis de l'avis de Father, cette affaire s'étend constamment.

— C'est peut-être bon pour nous, reprit Davy. Si cela vient à s'étendre un peu trop vite, il sera plus difficile pour eux de contrôler leurs pions.

— La question, Sir Ronald, coupa McNeill, est : sur qui tirons-nous et quand ?

— Il y a environ une douzaine de suspects que nous pouvons dès à présent poursuivre, intervint Comstock. Les Harris sont dans le coup, nous le savons. Nous connaissons quelques-uns de leurs

repaire : une gentille petite souricière du côté de
Luton, dans un garage à Epsom, dans un pub près de
Maidenhead et aussi dans une ferme sur la route de
Great North.

— Et aucun de tous ceux qui dirigent ces entreprises ne vaut la peine d'être interrogé ?

— Je ne le pense pas. Ils ne sont que de petits
rouages de l'affaire : un endroit où les voitures sont
transformées rapidement, un pub respectable où l'on
transmet les messages ; un magasin de vêtements
d'occasion où l'apparence d'une silhouette peut être
modifiée ; un costumier dans le West End, très utile
aussi. Ces gens sont payés, assez bien payés même,
mais ils ne savent pratiquement rien.

Le rêveur superintendent Andrews prit à nouveau
la parole :

— Nous avons affaire à des esprits intelligents que
nous n'avons pas encore réussi à approcher. Nous
connaissons seulement certains de leurs complices,
rien de plus. Les Harris en font partie et les Marks
règlent les questions financières. Les contacts étrangers sont assurés par Weber, qui n'est qu'un agent.
Au vrai, nous n'avons rien de précis contre ces types.
Nous savons qu'ils ont les moyens de rester en rapport entre eux et les différentes branches de leur
organisation entre elles, mais nous ignorons comment
ils s'y prennent. Nous sommes sur leur dos et ils s'en
doutent. Quelque part se trouve un grand quartier
général. Ce sont les cerveaux de la bande qui nous
intéressent :

Comstock constata :

— Une sorte de pêche avec un filet géant. Je suis
d'accord pour penser qu'il existe quelque part un

quartier général. Un endroit où chaque opération est étudiée dans les détails avant d'être risquée. Quelque part, quelqu'un met le tout sur pied et déclenche, lorsqu'elle est au point, une opération contre les sacs postaux ou contre les fourgons transportant la paye d'une usine. C'est dans cet état-major que nous devons chercher à pénétrer.

— Ils ne se trouvent peut-être pas en Grande-Bretagne, suggéra toujours aussi calmement Father.

— Possible. Ils peuvent aussi bien s'abriter dans une hutte d'esquimaux, que sous une tente au Maroc ou dans un chalet en Suisse.

— Je ne crois pas aux esprits supérieurs en la matière, coupa McNeill en hochant la tête. Ils n'existent que dans les romans. Il doit y avoir un chef, naturellement, mais à mon avis pas nécessairement un génie du crime. Je penserais plutôt à un comité restreint, composé de directeurs et d'un président. Avez-vous remarqué à quel point ils améliorent constamment leurs techniques ? N'empêche...

— Oui ? l'encouragea Sir Ronald.

— Même dans une entreprise restreinte, il y a probablement ce qu'on appelle les gens lourds à tirer. Je ne serais pas étonné que ce comité utilise la technique que je nomme celle du traîneau russe : de temps en temps, s'ils voient que nous les serrons de trop près, ils poussent l'un des leurs hors du traîneau, celui qu'il pensent pouvoir le plus facilement sacrifier, et l'abandonnent à la meute qui les harcèle.

— Ne croyez-vous pas que ce serait là prendre un bien gros risque ?

— A mon avis, l'opération doit être conduite de telle sorte que la victime ne réalise pas qu'elle a été

poussée hors du traîneau. Elle s'imagine seulement
qu'elle en est tombée. Elle reste donc tranquille, dans
son propre intérêt, car ses chefs sont généreux et se
chargent de sa famille, si elle en a une, pendant sa
période d'emprisonnement. Une évasion pourra même
être tentée.

— Il y en a déjà eu trop, soupira Comstock.

— Vous devez savoir, coupa Sir Ronald, que cela
ne nous avancera pas beaucoup de revenir sans cesse
sur nos hypothèses passées ou actuelles.

McNeill rit.

— En fait, pourquoi nous avez-vous demandé de
nous réunir aujourd'hui, Sir ?

— Eh bien... (Sir Ronald réfléchit un instant.)
Nous sommes tous d'accord sur l'essentiel, à savoir
sur ce que nous comptons entreprendre. Je pense
qu'il y aurait intérêt à nous rappeler le côté mineur
des affaires étudiées, je veux dire ces petits détails
qui, en apparence, n'ont pas grande importance, du
fait qu'ils ne s'écartent qu'à peine de la logique des
choses. Prenez, par exemple, l'histoire Culver qui
remonte à quelques années. Une simple tache d'encre.
Vous vous rappelez ? Une simple tache d'encre près
d'un trou de souris. Pourquoi diantre un homme
irait-il vider une bouteille d'encre dans un trou de
souris ? Un fait sans importance, en apparence, mais
insolite à la réflexion. La réponse a été difficile à
trouver, mais lorsque nous avons pu la fournir, nous
avions résolu le problème. C'est là, Messieurs, ce à
quoi je faisais vaguement allusion. Acharnons-nous
sur les détails que nous ne comprenons pas, qui ne
s'expliquent pas tout de suite. N'hésitez pas à noter
qui aurait pu vous intriguer, ne fût-ce qu'une se-

conde. Sans intérêt, peut-être, mais irritant parce
que ne collant pas exactement avec la logique. Je vois
que Father hoche la tête ?

— Je suis entièrement de votre avis. Allons ! les
gars ! Essayez de trouver quelque chose. Même s'il
ne s'agit que d'un homme portant un drôle de
chapeau.

Pas de réponse en écho. Tous semblaient hésiter.

— Dans ce cas, reprit Father, je parlerai donc le
premier. C'est une histoire que je trouve amusante,
mais vous jugerez vous-même. C'est à propos du
hold-up de la banque de Londres et Métropolitaine,
succursale de Carmolly Street. Vous vous souvenez ?
Il s'agissait d'établir une liste complète, numéros,
couleurs et marques des voitures vues dans les environs de la banque à l'heure du vol : nous avons
demandé à plusieurs témoins de se faire connaître et
de répondre à nos questions. Ils répondirent... comme
ils répondent presque toujours, hélas ! Nous avons
recueilli environ cent cinquante fausses informations !
Finalement, on a réduit le tout à sept voitures aper-
çues dans les parages, au moment crucial.

— Et alors ? demanda Sir Ronald.

— Deux d'entre elles ne furent jamais retrouvées,
leurs numéros ayant, sans doute, été changés. Tru-
quage banal que nous finissons toujours par découvrir tôt ou tard. Je ne parlerai que d'une seule voiture, une Morris Oxford, conduite intérieure noire,
numéro C M G 256, remarquée par un délégué à la
liberté sous surveillance qui déclara en avoir reconnu
le chauffeur : Mr Justice Ludgrove.

Father regarda autour de lui. Ils l'écoutaient tous
mais sans manifester un grand intérêt.

— Or, reprit-il, Mr Justice Ludgrove est un vieux garçon facilement reconnaissable, car il est laid comme les sept péchés capitaux réunis. Eh bien ! il ne s'agissait pas de lui. A l'heure même où le témoin croyait l'avoir vu, il se trouvait au tribunal. Sa voiture est bien une Morris Oxford dont le numéro matricule n'est pas C M G 256, mais C M G 265. Pas une grande différence, hé ? mais qui entraîne le genre d'erreur que n'importe qui ferait en essayant de se souvenir d'un numéro de voiture.

— Pardonnez-moi, intervint Sir Ronald. Je ne vois pas très bien... ?

— Il n'y a rien à voir, en fait. Seulement la voiture de Mr Ludgrove correspondait presque à celle que nous recherchions 265... 256. Une coïncidence assez troublante, vous en conviendrez, que de rencontrer une voiture Oxford Morris noire dont le numéro est presque celui du véhicule de Mr Justice Ludgrove et conduite par un homme ressemblant à Mr Justice Ludgrove, non loin du lieu du hold-up.

— Voulez-vous dire... ?

— Je veux dire qu'un petit chiffre pas à sa place peut entraîner une erreur énorme.

— Vraiment, Davy, je ne comprends toujours pas ?

— Il n'y a rien à comprendre, seulement à constater l'erreur d'un officier qui, deux minutes et demi après le vol, remarque une conduite intérieure noire C M G 256 conduite par un homme ressemblant à Mr Justice Ludgrove.

— Suggériez-vous qu'il s'agissait vraiment de Mr Justice Ludgrove ?

— Pas du tout, car Mr Ludgrove, qui résidait alors

à l'hôtel *Bertram,* se trouvait bien au tribunal à l'heure dite. Nous en avons la preuve. Je tenais seulement à vous faire remarquer qu'une coïncidence troublante ne signifie rien.

Comstock s'agitait, mal à l'aise. Il prit la parole en hésitant :

— Il y eut un cas presque similaire à l'époque du vol de bijoux à Brighton. Un vieil amiral qu'une femme identifia avec assurance, l'ayant aperçu près de l'endroit où les voleurs ont opéré.

— Et il ne s'y trouvait pas ?

— Non. Il était à Londres cette nuit-là. Il assistait à un dîner naval de la Marine ou quelque chose de ce genre.

— Et il était descendu à son club ?

— Non, dans un hôtel, si je me souviens bien, il s'agissait de celui auquel vous venez de faire allusion, Father, le *Bertram.* Un endroit tranquille où beaucoup de vieux retraités de l'armée se rendent avec leurs familles.

— L'hôtel *Bertram,* répéta pensivement le chef inspecteur Davy.

CHAPITRE V

Miss Marple se réveilla tôt, comme à l'accoutumée. Elle se leva et alla à pas pressés vers la fenêtre pour ouvrir les rideaux et jouir de la petite lueur pâle éclairant le ciel londonien. On lui avait donné une bien jolie chambre, qui s'accordait avec l'atmosphère du *Bertram*. Une porte de communication menait à la salle de bains, moderne, mais agrémentée d'un papier à carreaux ornés de roses, ce qui évitait toute suggestion trop brutale des impératifs de l'hygiène.

Miss Marple se remit au lit, consulta son petit réveil, sept heures trente, prit son petit livre de prière et lut comme d'habitude le passage du jour. Puis elle sortit son tricot et commença à manœuvrer les aiguilles, lentement d'abord car ses doigts étaient raides et douloureux lorsqu'elle se réveillait, mais bientôt son allure s'accéléra, ses articulations s'assouplissant.

« Un autre jour », pensa-t-elle, accueillant le fait avec plaisir. Un autre jour et qui sait ce qu'il apporterait. Elle se détendit et abandonna son tricot, laissant ses idées passer dans son esprit en un courant léger. Selina Hazy, quel joli petit cottage elle avait eu à St. Mary Mead. A présent, les nouveaux propriétaires y avaient ajouté cet horrible toit vert. Elle n'aurait jamais imaginé qu'elle reverrait le *Bertram* aussi exactement semblable à ce qu'il avait été par le passé, parce qu'après tout, le temps ne s'arrêtait pas de tourner. Réussir le miracle de le garder pareil à ce qu'il était autrefois avait dû coûter une fortune. Pas un brin de plastique dans tout l'hôtel ! L'affaire devait probablement bien marcher. Le genre vieux jeu et le pittoresque revenaient à la mode. Rien dans cet hôtel ne semblait exister vraiment, pourquoi pas, après tout ! Cela faisait cinquante, non presque soixante ans qu'elle était venue ici. L'atmosphère de la vieille maison lui donnait une impression d'irréalité tant elle s'était accoutumée à la marche du progrès. Le *Bertram* offrait vraiment un intéressant ensemble de problèmes. L'atmosphère et les gens.

— Ressources financières, prononça-t-elle à voix haute. Ressources financières, je suppose, assez difficiles à trouver.

Cela expliquait-il ce curieux sentiment de gêne qu'elle avait eu la nuit dernière ? Le sentiment que quelque chose sonnait faux.

Toutes ces vieilles personnes, en apparence semblables à celles qui se trouvaient là soixante ans plus tôt. A l'époque, elles lui avaient paru naturelles, mais celles qu'elle venait de voir avaient ce que leur âge a du mal à supporter, cette façon de se précipiter à une réunion de comité en essayant de paraître affairées et compétentes, de se teindre les cheveux en bleu gentiane ou même de porter perruque. Leurs mains mêmes n'étaient pas celles dont elle se souvenait, avec leurs doigts effilés, délicats. Elles étaient rugueuses, par suite de lavages innombrables avec des produits détergents.

Ainsi, ces gens ne paraissaient pas tellement réels, bien qu'ils existassent vraiment. Selina Hazy était bien vivante, et ce vieux gentleman aperçu dans un coin. Elle l'avait rencontré auparavant sans se souvenir de son nom.

Miss Marple jeta un coup d'œil à son réveil, huit heures trente, l'heure de prendre son petit déjeuner. Elle examina les instructions données par l'hôtel... une merveilleuse écriture large, afin qu'on n'ait pas besoin de mettre ses lunettes pour lire. Les repas pouvaient être commandés par téléphone en demandant l'office ou en pressant la sonnette marquée « femme de chambre ». Miss Marple opta pour la seconde solution.

Au bout de quelques secondes, on frappa à la porte et une femme de chambre de très bonne apparence, entra. Une vraie femme de chambre et qui, pourtant, paraissait hors du temps. Elle était vêtue d'une robe à rayures lavande et d'un bonnet fraîchement repassé. Un visage souriant, rose, sûrement campagnard (mais où trouvaient-ils cette sorte de filles ?)

Miss Marple commanda du thé, des œufs pochés et des petits pains frais.

Cinq minutes plus tard, elle revenait avec le plateau qui contenait un pot de thé, du lait couleur crème, un pot d'eau en argent, deux merveilleux œufs pochés sur pain grillé, pas de ces petites boules

dures, cuites dans l'aluminium, un gros morceau de
beurre marqué de l'emblème du chardon avec, en
plus, de la marmelade, du miel et de la confiture de
fraises. Des petits pains d'aspect appétissant sentaient
le pain fraîchement sorti du four (la meilleure odeur
du monde !). Il y avait aussi une pomme, une poire et
une banane.

Miss Marple enfonça son couteau dans les œufs,
avec précaution mais confiance. Elle ne fut pas
déçue : le jaune coula, onctūeux. Une cuisson parfaite ! De plus, tout était chaud. Un vrai petit déjeuner, aussi parfait que si elle l'avait préparé elle-
même. Il lui était servi ainsi que cela se faisait en
1909. Miss Marple exprima sa satisfaction à la
femme de chambre qui répondit en souriant :

— Le chef est très attentif à ses petits déjeuners.

Miss Marple la regarda avec plaisir. L'hôtel *Bertram* pouvait décidément produire des merveilles.
Une vraie femme de chambre !

— Etes-vous ici depuis longtemps ?

— Un peu plus de trois ans, Madame.

— Et avant ?

— Je servais dans un hôtel à Eastbourne. Très
moderne, à la nouvelle mode, mais je préfère de
beaucoup un endroit comme celui-ci.

Miss Marple se prit à fredonner au hasard. Les
mots reprenaient automatiquement leur place dans
une vieille chanson oubliée depuis longtemps : *Oh !
où étiez-vous toute ma vie...*

La femme de chambre eut l'air légèrement surpris.

— Je viens seulement de me souvenir d'un vieux

refrain, s'excusa Miss Marple, émue, très populaire à une lointaine époque.

A nouveau, elle fredonna : *Oh ! où étiez-vous toute ma vie...*

— Peut-être le connaissez-vous ? s'enquit-elle.

— C'est-à-dire...

— Trop ancien pour vous ? Curieux comme on se souvient de tant de choses dans un tel endroit.

— Oui, Madame. Beaucoup de ladies qui viennent ici ont le même sentiment, je crois.

— Une des raisons pour lesquelles elles y viennent, je suppose.

Miss Marple finit son petit déjeuner et se leva avec un nonchalant plaisir. Elle avait déjà établi un plan pour sa matinée qu'elle emploierait à faire des courses. Pas trop pour ne pas la fatiguer. Aujourd'hui, Oxford Street, peut-être Knightsbridge.

Il était environ dix heures lorsque la vieille demoiselle émergea de sa chambre, complètement équipée : chapeau, gants, parapluie (le temps était beau, mais on ne sait jamais), sac à main et son filet à provisions le plus joli.

L'avant-dernière porte au bout du corridor s'ouvrit brusquement et quelqu'un jeta un coup d'œil sur le palier. Il s'agissait de Bess Sedgwick, qui battit en retraite et referma rapidement sa porte.

Miss Marple fut intriguée en descendant l'escalier (elle préférait l'escalier à l'ascenseur au début de la journée, cela l'assouplissait), son pas ralentit, elle s'arrêta.

Alors qu'ayant quitté sa chambre, le colonel Lus-

combe avançait, alerte, le long du couloir, la voix de
lady Sedgwick le héla :

— Vous voici enfin ! Je vous ai guetté afin de
vous happer au passage. Où pouvons-nous aller pour
parler ? Je veux dire sans risquer de tomber à chaque
instant sur quelqu'une de ces vieilles chattes ?

— Voyons, Bess, je ne suis pas sûr, mais je crois
qu'à l'entresol, il y a une sorte de bureau.

— Au fond, vous feriez mieux de rentrer ici.
Dépêchez-vous avant que la femme de chambre ne se
fasse des idées à notre sujet !

Assez à contrecœur, le colonel Luscombe passa le
seuil et entendit la porte se fermer derrière son dos.

— Je n'envisageais certainement pas que vous
puissiez descendre dans cet hôtel, Bess.

— Je m'en doute.

— Je veux dire... Je n'aurais pas amené Elvira ici,
car elle est ici, vous le savez ?

— Oui, je l'ai aperçue avec vous hier soir.

— Franchement, je ne supposais pas que vous
puissiez être ici, un endroit tellement différent de
vous.

— Je ne vois pas pourquoi, répondit sèchement
lady Sedgwick. C'est de loin le plus confortable hôtel
de Londres. Pour quelles raisons n'y descendrais-je
pas ?

— Vous devez admettre que je n'avais pas le
moindre soupçon que... Enfin, je veux dire...

Il bafouillait, le cher colonel.

Bess le regarda en souriant. Prête à sortir, elle était
vêtue d'un tailleur sombre, bien coupé, et d'un che-
misier d'un vert émeraude éclatant. Elle paraissait

gaie et pleine d'énergie. Près d'elle, le colonel semblait plutôt vieux et démodé.

— Cher Derek, ne soyez pas si tourmenté. Je ne vous accuse pas d'avoir voulu monter une sorte d'embuscade en vue d'une rencontre sentimentale entre mère et fille. C'est seulement une de ces coïncidences comme il en arrive fréquemment. Mais vous devez emmener Elvira, Dereck. Arrangez-vous pour qu'elle quitte l'hôtel tout de suite, aujourd'hui-même.

— Oh ! mais elle ne doit pas rester. Je veux dire que je ne l'ai amenée ici que pour deux nuits. Une distraction. Elle se rend chez les Melford demain.

— Pauvre enfant ! Ce ne sera pas tellement gai pour elle.

— Vous croyez qu'elle s'y ennuiera ?

— Peut-être pas, après son séjour forcé en Italie. Elle pourra même trouver l'endroit très amusant.

Luscombe eut un long soupir et lança :

— Ecoutez, Bess, j'ai été surpris de vous rencontrer au *Bertram*, mais ne croyez-vous pas que, dans un sens, cette rencontre pourrait être bénéfique ? Je crains que vous ne vous rendiez pas compte de ce que cette enfant peut ressentir.

— Qu'essayez-vous de dire, Derek ?

— Vous êtes sa mère, après tout !

— Je le sais, que je suis sa mère ! Mais quel bien cela nous fera-t-il jamais ?

— Vous ne pouvez être certaine, enfin, je crois... je crois qu'elle souffre de votre séparation.

— Qu'est-ce qui vous le fait penser ?

— Quelque chose qu'elle a dit hier. Elle m'a demandé où vous étiez et ce que vous faisiez.

Bess Sedgwick alla à la fenêtre et tapota un moment sur le carreau.

— Vous êtes si gentil, Derek. Vous avez des idées charmantes, mais elles ne servent à rien, mon pauvre ange ! Vous devez admettre qu'elles sont inutiles et pourraient même devenir dangereuses.

— Oh ! voyons, Bess ! Dangereuses ?

— Oui, oui ! Dangereuses ! Je suis dangereuse. Je l'ai toujours été.

— Quand je pense à certains de vos exploits...

— C'est mon affaire. Me lancer au milieu du danger est devenu une sorte d'habitude pour moi. Non, je ne dirai pas une habitude, mais plutôt une passion. Une sorte de drogue. Le danger est pour moi cette petite quantité d'héroïne dont certaines personnes ont besoin à intervalles réguliers pour rendre la vie supportable. Je n'ai jamais pris de drogues. Je n'en ai pas besoin, mais ceux qui vivent à ma manière peuvent être une source de malheur pour leur entourage. Ne soyez pas un cher vieux fou obstiné, Derek, et gardez ma fille loin de moi. Je ne puis rien lui apporter de bon. Si possible, ne lui apprenez même jamais que je me trouvais dans le même hôtel que vous. Téléphonez chez les Melford et emmenez-la auprès d'eux, dès aujourd'hui. Trouvez une excuse quelconque.

— Je crois que vous commettez une erreur, Bess. Elle m'a demandé où vous étiez et j'ai répondu que vous voyagiez.

— Je pars dans une douzaine d'heures, ainsi tout s'arrangera.

Elle vint à lui, posa un baiser amical sur sa joue, le fit pivoter comme s'ils s'apprêtaient à jouer tous deux

à colin-maillard, ouvrit la porte et le poussa doucement mais fermement sur le palier.

Au moment où la porte se refermait derrière lui, le
colonel remarqua une vieille lady qui tournait le coin
de l'escalier. Elle se parlait à voix basse tout er
regardant dans son sac. « Vraiment, vraiment, je
suppose que je l'ai laissé dans ma chambre... Oh !
vraiment... » Elle passa près du colonel sans lui
prêter grande attention en apparence, mais alors qu'il
descendait l'escalier, Miss Marple s'arrêta à la porte
de sa chambre et jeta un coup d'œil dans sa direction. Les yeux de la vieille demoiselle se reportèrent
sur la porte de Bess Sedgwick. « C'est lui qu'elle
guettait, murmura-t-elle. Je me demande pourquoi. »

Le chanoine Pennyfather, fortifié par son petit
déjeuner, erra un moment dans le hall de l'hôtel, se
souvint à temps qu'il devait laisser sa clef à la réception, s'ouvrit un passage à travers les portes battantes
et fut promptement installé dans un taxi, par le
portier irlandais.

— Où allez-vous, Sir ?

— Mon Dieu ! s'exclama le chanoine consterné.
Voyons... où avais-je l'intention d'aller ?

La circulation dans Pond Street fut arrêtée
quelques minutes pendant que le chanoine Pennyfather et le portier débattaient ce point épineux. Soudain, le chanoine eut une idée et le taxi partit dans la
direction du British Museum.

Le portier sourit et, comme aucun autre client
n'apparaissait, il flâna le long de la façade de l'hôtel
en sifflant doucement un vieux refrain.

Une des fenêtres du rez-de-chaussée du *Bertram*
s'ouvrit brusquement, mais le commissionnaire ne

tourna la tête qu'au bruit d'une voix qui l'inter-
pellait :

— C'est donc ici que vous avez abouti, Micky ?
Que diantre y faites-vous ?

Il pivota en sursautant et regardant la fenêtre sans
comprendre.

Lady Sedgwick pencha la tête hors de la croisée.

— Ne me reconnaissez-vous pas, Micky ?

Une soudaine lueur anima le visage de l'homme.

— Par exemple ! La petite Bessie ! Imaginez un
peu ! Après tant d'années ! La petite Bessie !

— Personne d'autre que vous ne m'a jamais appelée ainsi. C'est un nom affreux. Qu'êtes-vous devenu
pendant tant d'années ?

— Pas grand-chose, répondit-il avec réserve. Mon
nom n'a pas paru dans les journaux comme le vôtre.
J'ai relu plusieurs fois vos exploits.

Bess Sedgwick éclata de rire.

— En tout cas, je me suis mieux conservée que
vous. Vous continuez à boire comme par le passé,
hein ?

— Vous vous êtes bien conservée parce que vous
avez toujours eu la chance d'avoir de l'argent.

— L'argent ne vous aurait rien apporté de bon.
Cela ne vous aurait servi qu'à boire encore plus et
vous seriez à l'hôpital ou dans un asile psychiatrique
à l'heure actuelle. Ce que je veux savoir, c'est ce qui
vous a amené ici ? Comment avez-vous été engagé en
un tel endroit ?

— Je cherchais du travail et j'avais ceci.

Il pointa l'index vers une rangée de médailles
ornant son revers.

— Je vois. Elles sont toutes authentiques, n'est-ce ·pas ?

— Naturellement. Pourquoi ne le seraient-elles pas ?

— Oh ! je vous crois. Vous avez toujours eu du courage. L'armée vous convenait, j'en suis sûre.

— En temps de guerre seulement.

— Ainsi, vous êtes à présent lancé dans cette activité. Je n'avais pas la moindre idée que...

— Vous n'aviez pas la moindre idée de quoi, Bessie ?

— Rien. C'est étrange de vous revoir après tant d'années.

— Je ne vous ai jamais oubliée, Bessie ! Quelle ravissante fille vous étiez !

— Une sacrée idiote, oui !

— Ça, c'est vrai ! Vous ne deviez pas avoir beaucoup de bon sens pour vous embarrasser d'un type comme moi. Quelles mains vous aviez pour retenir un cheval ! Vous souvenez-vous de cette jument... Comment s'appelait-elle donc ? Molly O'Flynn, je crois... Une sacrée diablesse, celle-là.

— Vous étiez le seul à pouvoir la monter.

— Elle a vite compris qu'elle ne pouvait me désarçonner et qu'il lui fallait être docile. Une belle bête. Mais pour ce qui est de dompter un cheval, il n'y avait pas une lady dans toute la région qui pouvait vous égaler. Vous n'éprouviez jamais la moindre peur ! D'après ce que j'ai lu sur vous dans les journaux, il ne me semble pas que vous ayez changé ?

Bess Sedgwick rit.

— Il faut que je termine mon courrier.

Elle se recula de la fenêtre. L'homme se pencha sur la balustrade.

— Je n'ai pas oublié Ballygowlan, cria-t-il. Quelquefois, j'ai pensé vous écrire.

La voix de Bess Sedgwick s'éleva dure :

— Que voulez-vous dire par là, Mick Gorman ?

— Simplement que je n'ai rien oublié.

— Si vous faites allusion à ce que je pense, laissez-moi vous donner un conseil. Le moindre ennui de votre part, et je vous abats comme un chien ! J'ai déjà tué des hommes.

— A l'étranger, peut-être.

— Et ici aussi. C'est la même chose pour moi.

— Grand Dieu ! Je crois que vous en seriez capable. (Sa voix était teintée d'admiration.) A Ballygowlan...

— A Ballygowlan on vous payait pour que vous vous taisiez, on vous payait même largement. Maintenant, vous n'aurez rien de plus de moi, alors n'y pensez plus.

— Ce serait pourtant une gentille histoire bien romantique pour les journaux du dimanche.

— Vous avez entendu ce que j'ai dit ?

— Voyons, Bessie, je plaisantais. Je ne voudrais jamais faire de mal à ma petite Bessie. Je me tairai.

— Ne l'oubliez pas !

Elle referma la fenêtre, examina la lettre inachevée posée sur la table devant elle, la froissa et la jeta dans la corbeille à papiers. Puis, brusquement, elle se leva et quitta la pièce.

Les salons de lecture du *Bertram* avaient toujours l'air d'être déserts, même lorsque plusieurs personnes s'y trouvaient. Deux bureaux bien équipés se dressaient devant les fenêtres, une autre table sur la droite où les journaux étaient alignés et, à gauche, deux fauteuils au dos droit regardaient aux fenêtres. La retraite idéale pour quelques vieux gentlemen qui s'endormaient paisiblement après le déjeuner en attendant l'heure du thé. Qui venait dans cette pièce pour écrire une lettre ne les remarquait pas toujours. Au cours de la matinée cependant, ces sièges n'étaient pas tellement recherchés.

Ce matin-là pourtant, les deux fauteuils étaient occupés : l'un par une vieille lady et l'autre par une jeune fille.

La jeune fille se leva, fixant, indécise, la porte par où Bess Sedgwick venait de s'en aller puis elle se dirigea à son tour vers la sortie. Le visage d'Elvira Blake était blême.

Il s'écoula cinq minutes avant que la vieille lady ne bougeât. Puis, brusquement, Miss Marple décida que le petit repos qu'elle s'accordait toujours avant une promenade avait assez duré. Il était temps d'aller goûter les plaisirs de Londres. Elle irait peut-être à pied jusqu'à Piccadilly et prendrait le bus n° 9 qui la déposerait à High Street Kensington, ou bien elle se rendrait à Bond Street, où le bus n° 25 la conduirait aux magasins Marshall et Snelgrove. A moins qu'elle ne prît toujours le n° 25, mais dans la direction opposée qui, si ses souvenirs étaient exacts, devrait la mener aux magasins Army et Navy. Poussant les portes battantes, Miss Marple savourait par avance ces menus plaisirs.

Le portier, de retour à son poste, décida pour elle.

— Vous aurez besoin d'un taxi, Madame ?

— Je ne pense pas, car il me semble qu'il y a le bus n° 25, pas très loin d'ici.

— Vous ne devez pas prendre un bus, Madame. Ces engins sont trop dangereux quand on atteint un certain âge. Leurs conducteurs sont de vraies brutes ! Je vais vous siffler un taxi et vous pourrez vous rendre où bon vous semble, comme une reine.

Miss Marple réfléchit, puis accepta.

L'homme eut à peine fait claquer ses doigts qu'un taxi apparut comme par enchantement. Avec toutes les précautions possibles, le portier aida Miss Marple à s'installer. Sous l'inspiration du moment, elle décida de se rendre aux magasins Robinson et Cleaver pour voir leur exposition de draps en pure toile. Son esprit errait sur de plaisantes anticipations de draps de toile, de taies d'oreillers et de vrais torchons à essuyer les verres, sans la moindre reproduction de bananes, figues, chiens et autres inventions, soi-disant pittoresques et si ennuyeuses à contempler lorsque vous faites la vaisselle.

-:-

Lady Sedgwick s'adressa à la réceptionniste :

— Mr Humfries est-il là ?

— Oui, lady Sedgwick.

Miss Gorringe fut étonnée de voir lady Sedgwick passer derrière le bureau, frapper à la porte de la retraite de Mr Humfries et entrer sans attendre la réponse.

Mr Humfries leva la tête en sursautant.

— Qu'est-ce...

— Qui a engagé ce nommé Michael Gorman ?

Mr Humfries bredouilla un peu.

— Parfitt nous a quittés. Il a eu un accident de voiture le mois dernier, et il nous a fallu le remplacer au plus vite. Cet homme semblait nous convenir. Bonnes références, retraité de l'armée. Pas très intelligent, peut-être, mais cela vaut mieux parfois. Auriez-vous un grief contre lui, lady Sedgwick ?

— Un grief assez important pour ne plus vouloir le voir ici.

— Si vous insistez... nous le renverrons...

— Non, non ! Trop tard maintenant ! Aucune importance, d'ailleurs.

CHAPITRE VI

— Elvira !

— Hello ! Bridget !

L'honorable Elvira Blake pénétra dans l'immeuble n° 180 d'Onslow Square, dont son amie venait de lui ouvrir précipitamment la porte, ayant guetté son arrivée d'une fenêtre.

— Montons chez vous, pressa Elvira.

— Oui, cela vaudra mieux, sinon Mummy nous embêtera.

Les deux jeunes filles grimpèrent vivement l'escalier, évitant ainsi la mère de Bridget qui apparut sur le palier un instant trop tard.

— Vous avez vraiment de la chance de ne pas avoir de mère, explosa Bridget hors d'haleine, refermant la porte de sa chambre avec colère. Bien sûr, Mummy est très gentille, mais toutes ces questions qu'elle pose ! Matin, midi et soir, elle n'arrête jamais. Où allez-vous ? Qui avez-vous rencontré ? Et sont-ils cousins de quelqu'un d'autre du même nom qui habite dans le Yorkshire ?

— Je suppose qu'elle n'a rien d'autre à quoi penser, répondit Elvira d'un ton détaché. Ecoutez, Bridget, je dois entreprendre quelque chose de terriblement important et j'ai pour cela besoin de votre aide.

— Si je puis ? Qu'est-ce que c'est ? Un homme ?

— Non, il ne s'agit pas d'un homme. (Bridget eut l'air déçue.) Il faut que je me rende en Irlande pour vingt-quatre heures ou peut-être plus, et je vous demande de m'aider à dissimuler mon absence.

— En Irlande ? Pour quoi faire ?

— Je ne puis vous l'expliquer à présent. Pas le temps. Mon tuteur m'attend chez Prulier à une heure trente.

— Comment vous êtes-vous débarrassée de la Carpenter ?

— Je l'ai semée au magasin Debenham.

Bridget eut un rire étouffé.

— Et après le déjeuner, mon tuteur et elle me conduisent chez les Melford où je devrai rester jusqu'à mes vingt et un ans.

— Quelle horreur !

— J'arriverai bien à me débrouiller. Ma cousine Mildred est incroyablement facile à berner. Il est convenu que je dois venir à Londres pour suivre des cours. Je ferai partie d'un club appelé « Le Monde d'Aujourd'hui » qui nous emmène voir des expositions, assister à des conférences, visiter la Chambre des Lords et tout le reste. L'important est que personne ne sache si on est là où on doit théoriquement se trouver ! On pourra arranger des tas de choses, vous et moi.

— Sûrement ! (Bridget éclata de rire.) On ne s'est

pas mal débrouillé en Italie, vous vous souvenez ? La
vieille Macaroni qui se croyait si sévère ! Elle ne
découvrit jamais rien de nos combinaisons quand on
voulait filer quelque part !

Elles rirent toutes deux avec l'heureuse insouciance
des jeunes filles qui ont réussi quelque mauvais
tour.

— Reconnaissons, cependant, qu'il nous a fallu
sans cesse ruser, remarqua Elvira.

— Et raconter de merveilleux mensonges. A propos, avez-vous eu des nouvelles de Guido ?

— Oui, il m'a écrit une longue lettre, signée Gui-
nevra, comme s'il s'agissait d'une amie. Mais je voudrais bien que vous m'écoutiez, à présent, Bridget.
Nous avons un tas de choses à mettre au point et je
ne dispose que d'une heure et demie. Tout d'abord, je
dois revenir demain à Londres pour un rendez-vous
chez le dentiste. Facile. Je puis annuler le rendez-
vous par téléphone, ou vous pourrez l'annuler vous-
même d'ici. Vers midi, demain, vous appellerez les
Melford en vous faisant passer pour votre mère et
vous expliquerez que je dois retourner chez le dentiste après-demain et que vous croyez préférable de
me garder chez vous, pour m'éviter les fatigues inutiles de voyages trop rapprochés.

— Ça marchera sûrement. Ils me répondront combien c'est aimable à moi, etc. Mais supposons que
vous ne soyez pas de retour le lendemain ?

— Vous téléphonerez de nouveau aux Melford.

Bridget parut moins emballée.

— Nous aurons largement le temps d'inventer une
excuse, la pressa Elvira. Ce qui m'inquiète le plus

pour le moment, c'est la question argent. Vous n'en avez pas, vous ?

— Environ deux livres.

— Elles ne me serviraient à rien. Il faut que j'achète mon billet d'avion. Le voyage ne dure pas plus de deux heures : j'ai consulté les horaires. Le plus important est le temps qu'il me faudra rester en Irlande.

— Ne pouvez-vous me confier pourquoi vous allez là-bas ?

— Impossible ! Mais c'est terriblement, terriblement important.

La voix d'Elvira semblait si passionnée que Bridget regarda son amie, intriguée.

— Y a-t-il quelque chose qui ne va pas, Elvira ?

— Oui.

— Quelque chose que personne ne doit savoir ?

— En un sens, oui. C'est horriblement secret. Il faut que je découvre si quelque chose existe vraiment. Quelle barbe au sujet de l'argent ! Ce qui me rend furieuse, c'est que je suis très riche, mon tuteur me l'a appris hier, et pourtant, tout ce dont je dispose, c'est d'une somme ridicule pour m'acheter une robe. D'ailleurs, cet argent semble se volatiliser dès que je le touche.

— Votre tuteur, le colonel Machin, ne vous prêterait pas l'argent ?

— Aucun espoir de ce côté ! Et puis, il me poserait un tas de questions.

— Probablement. Je me demande vraiment pourquoi tout le monde pose tant de questions ? Savez-vous que lorsque quelqu'un me téléphone, Mummy

se croit obligée de demander qui est à l'appareil ?
Alors que cela ne la regarde en rien !

Elvira hocha la tête, mais son esprit était ailleurs.

— Avez-vous jamais mis quelque chose au clou,
Bridget ?

— Non. Je crois que je ne saurais pas comment
m'y prendre.

— J'imagine que c'est assez facile. Vous allez chez
une sorte de bijoutier qui a trois boules blanches en
enseigne à sa devanture.

— Je ne pense pas malheureusement posséder le
moindre objet qui vaille la peine d'être mis en
gage.

— Votre mère n'a-t-elle pas des bijoux quelque
part ?

— Je doute que nous puissions compter sur son
aide.

— Vous avez raison, mais peut-être nous pourrions lui en chiper ?

— Oh ! je n'oserais jamais ! s'exclama Bridget,
choquée.

— Non ? Vous avez peut-être raison. Mais je
parie qu'elle ne s'en apercevrait même pas et on les
lui rapporterait avant qu'elle ne constate leur disparition. Mais n'en parlons plus... Nous irons chez
Mr Bollard.

— Qui est Mr Bollard ?

— Le bijoutier de la famille. Je porte toujours ma
montre à réparer chez lui. Il me connaît depuis que
j'avais six ans. Venez, Bridget, nous allons tout de
suite chez lui. Nous avons juste le temps.

— Il vaudrait mieux que nous sortions par la

porte de derrière, ainsi Mummy ne nous demandera pas où nous nous rendons.

Près du magasin de Bollard et Whitley, dans Bond Street, les deux jeunes filles mirent au point leur dernier plan.

— Vous êtes sûre d'avoir bien compris, Bridget ?

— Je crois, répondit cette dernière d'une voix lugubre.

— D'abord, nous allons synchroniser nos montres.

Bridget se dérida un peu. Cette phrase familièrement littéraire lui redonnait courage. Elles réglèrent solennellement leurs montres, Bridget avançant la sienne d'une minute, puis Elvira expliqua :

— L'heure zéro sera exactement à vingt-cinq. Cela me laisse largement assez de temps. Peut-être même plus que je n'en aurai besoin, mais c'est préférable.

— Supposons...commença Bridget.

— Supposons quoi ?

— Eh bien ! supposons que je me fasse réellement écraser par une voiture ?

— En voilà une idée ! Vous savez combien vous êtes agile et, à Londres, les automobilistes sont habitués à freiner brusquement. Tout se passera bien. Vous venez ?

Bridget ne paraissait pas tellement convaincue.

— Vous ne me laisserez pas tomber, Bridget ?

— Non, d'accord.

— Bien !

Bridget gagna le trottoir opposé et Elvira poussa la porte de la bijouterie. A l'intérieur, elle baigna dans une atmosphère qui lui parut aussi merveilleuse que ouatée. Un gentilhomme en redingote s'avança vers la jeune fille et s'enquit de ce qu'elle désirait.

— Pourrais-je voir Mr Bollard ?

— Mr Bollard. Quel nom dois-je annoncer ?

— Miss Elvira Blake.

Le gentilhomme disparut et Elvira s'approcha d'un comptoir où, sous les plaques de verre, miroitaient des broches, des bagues et des bracelets étalés sur du velours. Un instant plus tard, Mr Bollard fit son apparition. Il était l'associé principal de la firme, un homme d'environ soixante ans, qui accueillit Elvira avec une paternelle bienveillance.

— Miss Blake ! Vous êtes donc à Londres ? C'est un grand plaisir de vous revoir ! Voyons, que puis-je pour vous ?

Elvira présenta une délicate montre du soir.

— Ma montre ne marche pas très bien. Pourriez-vous me l'arranger ?

— Bien entendu. A quelle adresse dois-je vous l'envoyer ?

La jeune fille lui donna son adresse et enchaîna :

— Il y a autre chose. Le colonel Luscombe, mon tuteur que vous connaissez...

— En effet.

— ... m'a demandé ce que j'aimerais comme cadeau de Noël. Il m'a suggéré de me rendre chez vous pour regarder différentes choses. Il voulait m'accompagner, mais j'ai préféré venir seule d'abord, parce que je trouve que c'est toujours embarrassant, vous comprenez ? à cause des prix...

— Je comprends très bien. Voyons, à quoi avez-vous pensé, Miss Blake ? Une broche, un bracelet, une bague, peut-être ?

— Je crois qu'une broche me serait plus utile.

mais je me demande... Pourrais-je voir plusieurs bijoux ?

— Evidemment ! On n'éprouve aucun plaisir à se décider trop vite, n'est-ce pas ?

Les quelques minutes suivantes se passèrent très agréablement.

Faisant preuve d'une patience sans défaut, Mr Bollard sortit des bijoux de différentes étagères pour les étaler sur un morceau de velours sous les yeux d'Elvira. De temps à autre, cette dernière tournait la tête vers un miroir pour juger de l'effet d'une broche ou d'une pendeloque. Finalement, bien qu'encore hésitante, la jeune fille choisit une ravissante petite bague, une montre miniature ornée de diamants et deux broches.

— Nous allons noter tout ceci, s'empressa Mr Bollard, et lors de sa prochaine visite à Londres, le colonel Luscombe viendra peut-être nous confier ce qu'il aimerait vous offrir et... nous guiderons son choix.

— Ce sera beaucoup mieux ainsi, je crois, et il aura quand même l'impression d'avoir choisi lui-même mon cadeau.

Les yeux bleu limpide d'Elvira étaient fixés sur le visage du bijoutier. Ces mêmes yeux bleus venaient de remarquer qu'il était exactement l'heure fixée avec Bridget.

Arrivant du dehors, on entendit le grincement des freins d'une voiture bloqués à fond et le cri effrayé d'une femme. Inévitablement, tous les regards se portèrent vers la rue et le geste d'Elvira, dont la main alla de la table à sa poche, fut si rapide et si discret que même si quelqu'un l'avait observé à ce moment-là, il lui aurait été impossible de deviner ce qu'il signifiait.

— Oh ! s'exclama Mr Bollard. J'ai bien cru qu'elle se ferait écraser ! L'imprudente ! Se précipiter ainsi à travers la rue !

Elvira se dirigeait déjà vers la porte après avoir jeté un coup d'œil à sa montre.

— Mon Dieu, je suis restée bien trop longtemps ! Je vais manquer mon train pour la campagne. Merci beaucoup, Mr Bollard. Vous n'oublierez pas les quatre bijoux choisis, n'est-ce pas ?

Une minute plus tard, elle se retrouvait sur le trottoir, tournait rapidement dans une rue transversale, puis une autre, et s'arrêtait sous une arcade de magasin de chaussures, où Bridget, plutôt essoufflée, la rejoignit en s'exclamant :

— Seigneur ! que j'ai eu peur ! J'ai bien cru que j'allais être tuée. Et j'ai un grand trou dans mon bas.

— Aucune importance ! commenta égoïstement Elvira en entraînant son amie. Venez vite !

— Est-ce que... ça s'est bien passé ?

Elvira montra dans la paume de sa main un bracelet de diamants et de saphirs.

— Oh ! Elvira ! Comment avez-vous osé ?

— A présent, Bridget, il faut que vous alliez chez ce prêteur sur gages dont nous avons noté l'adresse. Essayez de vous faire verser une centaine de livres.

— Pensez-vous, supposons qu'ils disent... Peut-être ce bracelet est-il sur une liste de bijoux volés ?

— Ne soyez pas stupide. Comment serait-il déjà sur une liste ? Ils n'ont même pas encore remarqué sa disparition !

— Mais, Elvira, quand ils s'en apercevront, ils penseront peut-être... saurons-ils que vous l'avez pris ?

— Probablement s'ils s'en aperçoivent à temps.

— Mais alors ils iront à la police.

Elle s'interrompit alors qu'Elvira hochait lentement la tête et qu'un sourire ambigu lui retroussait le coin des lèvres.

— Ils n'iront pas à la police, Bridget. Certainement pas s'ils pensent que c'est moi qui l'ai pris.

— Pourquoi ? Que voulez-vous dire ?

— Comme je vous l'ai appris, je vais avoir un tas d'argent à ma majorité. Je pourrai alors m'offrir plusieurs de leurs bijoux. Croyez-moi, ils ne feront pas de scandale. Allez vite changer ce bracelet et ensuite vous me retiendrez une place d'avion à Aer Lingus. Il faut que je prenne un taxi à présent, je suis déjà en retard de dix minutes. Je vous verrai demain à dix heures trente.

— Oh, Elvira ! Je souhaiterais que vous arrêtiez de prendre de tels risques, gémit Bridget.

Mais Elvira s'engouffrait déjà dans un taxi.

Miss Marple passa quelques moments très agréables chez Robinson et Cleaver où, après s'être laissé aller à acheter des draps, coûteux mais de si bonne qualité, elle avait commandé des torchons bordés d'une rayure rouge.

Ayant laissé son adresse à St. Mary Mead, Miss Marple prit un bus qui la déposa aux magasins Army et Navy.

Ces magasins avaient été le repaire favori de la tante de Miss Marple à une époque depuis longtemps

disparue. L'aspect en avait changé depuis et la vieille
demoiselle se remémora sa tante Helen réclamant son
vendeur attitré au rayon des épices. Elle la voyait
s'installant sur un siège, avec son bonnet et ce qu'elle
appelait sa mante « de popeline noire ». Durant une
heure au moins, dans cette atmosphère paisible, tante
Helen réfléchissait à toutes les sortes d'épices qu'elle
pouvait acheter en prévision d'une longue période.
Non seulement, elle pensait à Noël, mais se risquait à
supputer ses besoins pour Pâques ! Pendant ce temps,
la jeune Jane, qui s'impatientait, était envoyée au
rayon de la verrerie en guise de distraction.

Ayant terminé ses achats, tante Helen s'exclamait
alors d'un ton enjoué : « Que penserait à présent une
certaine petite-fille d'un bon déjeuner ? » Sur quoi,
elles montaient toutes deux par l'ascenseur au
quatrième étage et prenaient un repas qui se terminait
toujours par une glace à la fraise. Ensuite, elles
achetaient une demi-livre de chocolats fourrés à la
crème et se rendaient en fiacre à un spectacle.

Sans doute, les magasins étaient-ils plus gais et
plus éclairés aujourd'hui, et Miss Marple ne regretta
pas ces améliorations. Le restaurant existait encore
et elle décida de s'y rendre.

Alors qu'elle étudiait le menu avec attention, la
vieille demoiselle regarda autour d'elle et ses sourcils
se levèrent en signe de surprise. Quelle extraordinaire
coïncidence ! Non loin, se trouvait une femme
qu'elle n'avait jamais vue avant la veille au soir et
qu'elle n'aurait jamais pensé rencontrer aux magasins
Army et Navy ! Il s'agissait de Bess Sedgwick qu'elle
se serait plutôt attendue à voir émerger d'une boîte
de Soho ou descendant les marches du Covent Gar-

den Opera, en robe du soir et coiffée d'une tiare de diamants. Les magasins Army et Navy correspondaient davantage aux gentlemen de l'Armée et de la Marine, accompagnés de leurs femmes, filles, tantes et grands-mères. Cependant, Bess Sedgwick s'y trouvait, élégante comme d'habitude, avec son tailleur sombre et sa blouse couleur émeraude, déjeunant à une table en compagnie d'un homme jeune au profil d'oiseau de proie, portant une veste de cuir noir. Penchés l'un vers l'autre, ils poursuivaient une conversation animée et ne semblaient porter aucune attention à ce qu'ils mangeaient.

Un rendez-vous peut-être ? Oui, probablement. L'homme devait avoir quinze ou vingt ans de moins qu'elle. Mais Bess Sedgwick était une femme possédant une sorte de magnétisme.

Miss Marple observa le jeune homme un moment et convint qu'il était ce qu'on pouvait appeler « un beau garçon », mais pas tellement sympathique. « Exactement comme Harry Russel, se dit-elle, établissant comme toujours un parallèle avec le passé, incapable de rester sur le bon chemin et n'apportant rien de bon aux femmes qu'il rencontrait. » Bien sûr, Bess Sedgwick n'écouterait pas un conseil venant de moi, et pourtant je pourrais lui en donner quelques-uns. » Néanmoins, les histoires sentimentales des autres n'étaient pas le rayon de Miss Marple et Bess Sedgwick, plus que toute autre femme, était capable de veiller sur elle-même.

Miss Marple soupira, acheva de déjeuner, et décida de se rendre au rayon de la papeterie.

La curiosité ou ce qu'elle préférait appeler elle-même « prendre de l'intérêt aux affaires des autres »

était sans aucun doute une des caractéristiques de
Miss Marple. Abandonnant délibérément ses gants
sur sa table, elle se leva et traversa la salle pour aller
à la caisse, empruntant un chemin qui la rapproche-
rait de la table de lady Sedgwick. Ayant payé sa note,
elle « constata » l'absence de ses gants et, retournant
à sa place pour les reprendre, elle laissa malencon-
treusement tomber son sac qui s'ouvrit et se vida.
Une serveuse accourut, offrant son aide, et
Miss Marple dut faire montre d'une grande gêne,
lorsqu'elle laissa tomber son sac pour la seconde
fois.

Elle ne gagna pas grand-chose à ces subterfuges,
mais ils ne furent pas complètement vains, et elle
nota avec intérêt que les deux objets de sa curiosité
n'accordèrent pas autre chose qu'un regard distrait à
la vieille lady si maladroite.

Tout en attendant l'ascenseur, Miss Marple se
remémora les bribes de conversation qu'elle avait pu
surprendre.

— *Que dit la météo ?*
— *Pas de brouillard prévu.*
— *Tout est en ordre pour Lucerne ?*
— *Oui, l'avion s'envole à neuf heures quarante.*

C'était là tout ce qu'elle avait pu entendre la première fois, mais au retour, la cueillette fut plus fruc-
tueuse

Bess Sedgwick s'exprimait sur un ton coléreux :

— *Qu'est-ce qui vous a pris de venir au « Bertram », hier ? Vous n'auriez jamais dû vous montrer
dans les parages !*

— *Aucune importance. Je n'ai fait que demander*

si vous y étiez descendue et de toute manière, tout le monde sait que nous sommes des amis intimes.

— Là n'est pas la question ! Le « Bertram » est parfait pour moi. Pas pour vous. Vous y faites tache ! Tout le monde vous y a remarqué.

— Laissez-les dire !

— Vous êtes vraiment un idiot ! Pourquoi ? Pour quelle raison y êtes-vous allé ? Je sais que vous..

— Calmez-vous, Bess.

— Vous êtes un tel menteur !

C'était là tout ce que Miss Marple avait entendu. Pas intéressant, tout de même...

CHAPITRE VII

Dans la soirée du 19 novembre, au club de l'Athenoeum, le chanoine Pennyfather, qui venait de terminer son repas, au cours duquel il avait salué un ou deux amis et poursuivi une discussion épineuse sur quelques points cruciaux concernant les dates des parchemins se référant à la mer Morte, regarda sa montre et vit qu'il était l'heure d'aller prendre son avion pour Lucerne.

Traversant le hall du club, il fut abordé par le docteur Whittaker qui lui lança, d'un ton enjoué :

— Comment vous portez-vous, Pennyfather ? Il y a longtemps que je ne vous ai vu. Quelles nouvelles du congrès ? Y a-t-on développé des idées intéressantes ?

— Je suis sûr qu'il s'en présentera.

— Vous en revenez ?

— Non, non. Je m'y rends ! Je prends l'avion ce soir.

— Oh !... (Whittaker ne semblait pas très bien

comprendre.) Je ne sais pourquoi, je m'imaginais que
le congrès avait lieu aujourd'hui.

— Non, seulement demain, le 19.

Le chanoine s'engagea dans la porte tournante tandis que son ami s'exclamait sur ses talons :

— Mais, mon cher, nous sommes aujourd'hui le
19 !

Le chanoine se trouvait trop éloigné pour entendre.
Il héla un taxi dans Pall Mall et se fit conduire à
l'aérogare de Kensington.

L'aérogare était rempli de monde ce soir-là. Le
chanoine se joignit à une file de passagers et lorsque
son tour arriva, il réussit à retrouver dans ses poches
le billet, le passeport et les autres documents nécessaires. La jeune fille, derrière le comptoir, prête à
estampiller ses papiers, suspendit son geste.

— Je vous demande pardon, Sir, il me semble que
ce n'est pas là le bon billet ?

— Pas le bon ? Mais si ! voyons ! Vol numéro
cent, je ne puis bien lire sans mes lunettes, cent et
quelque chose, pour Lucerne.

— Ce billet est pour le mercredi 18, Sir.

— Assurément. Je veux dire... Nous sommes le
mercredi 18, aujourd'hui ?

— Désolée, Sir. Nous sommes le 19.

— Le 19 !

Le chanoine fut épouvanté. Il sortit de sa poche un
petit carnet dont il tourna fébrilement les pages. Il
dut finalement se rendre à l'évidence : on était bien le
19. L'avion qu'il devait prendre était parti la veille.

— Mon Dieu ! cela signifie que le congrès s'est
tenu aujourd'hui !

Il regarda autour de lui, effaré, mais les autres

voyageurs ne lui prêtèrent aucune attention. Le
chanoine et sa contusion furent poussés de côté. Pennyfather, immobile, contemplait son billet inutile.
Peut-être pourrait-il le changer ? Cela ne servirait à
rien. Il était près de vingt et une heures à présent et
le congrès ne tarderait probablement pas à se terminer. Il repensa aux paroles de Whittaker au club. Le
docteur avait cru que Pennyfather revenait de
Lucerne.

— Mon Dieu ! murmura le chanoine. Quel gâchis !

Il erra tristement dans Cromwell Road, un lieu de
passage jamais très gai. Ayant retrouvé dans son
esprit les raisons qui l'avaient poussé à se tromper de
date, il soupira, résigné.

— A présent, je suppose, voyons, il est plus de
vingt et une heures, il faudrait que je mange quelque
chose.

Bien qu'étonné de ne pas se sentir en appétit, il
entra cependant dans un petit restaurant qui servait
du riz au curry.

Installé à une table, le chanoine réfléchit à ce qu'il
devrait faire en sortant du restaurant. Trouver un
hôtel ? Mais non, il en avait un d'hôtel ! Il était
descendu au *Bertram* et y avait même conservé sa
chambre pour quatre jours. Quelle chance ! Il n'aurait
qu'à demander sa clé à la réception et... quelque
chose de lourd dans sa poche amena une autre remi-
niscence. Il avait oublié de laisser la clé à la réception avant de quitter l'hôtel.

Content de lui pour la précaution prise de réserver
sa chambre, le chanoine sourit, abandonna son curry,
se souvint de payer sa note et se retrouva à nouveau
dans Cromwell Road. Il hésita à rentrer directement

à l'hôtel car, après tout, il aurait dû se trouver en ce moment à Lucerne, dînant avec des confrères et prenant part à de passionnantes discussions. Son regard fut attiré par le panneau lumineux d'un cinéma : *Les Murs de Jéricho*. Un titre qui convenait par excellence à son état ! Il serait amusant de constater si l'exactitude biblique avait été respectée

Le chanoine prit plaisir à voir le film qui, néanmoins, lui parut n'avoir aucun rapport avec l'histoire biblique. Même Josué avait été oublié ! Les murs de Jéricho étaient un symbole pour matérialiser les vœux de mariage d'une certaine lady. Après que l'édifice se fut écroulé plusieurs fois, la belle actrice rencontrait l'austère et rude héros qu'elle n'avait cessé d'aimer en secret et, ensemble, ils se proposaient de reconstruire le mur de telle façon qu'il supportât mieux l'épreuve du temps. Ce n'était pas là le genre de film qui aurait dû intéresser un ecclésiastique d'un certain âge, mais le chanoine Pennyfather, ayant pénétré dans un monde inconnu, estima que pareille aventure devait lui permettre d'élargir ses connaissances de la vie.

Légèrement consolé des tristes événements survenus au début de la soirée, il se retrouva parmi les lumières nocturnes de Londres. La nuit était belle et il marcha jusqu'à *Bertram*, après avoir failli emprunter un autobus qui l'eût mené dans la direction opposée.

Il était minuit lorsqu'il parvint à l'hôtel et, à minuit, le *Bertram* offrait l'aspect d'un établissement respectable dont la clientèle, à cette heure, était déjà endormie. Comme l'ascenseur ne se trouvait pas au rez-de-chaussée, le chanoine grimpa les escaliers. Il arriva à la porte de sa chambre et introduisit la clé dans la serrure, poussa le battant et entra.

Grand Dieu, distinguait-il bien ? Mais qui... comment... Trop tard ! Il vit des bras qui se levaient...

Des étoiles éclatèrent dans sa tête en un feu d'artifice.

CHAPITRE VIII

Le train postal irlandais traversait en trombe les premières lueurs du jour, lançant à intervalles réguliers un sifflement lugubre. Il fonçait à plus de quatre-vingts miles à l'heure. Soudain, il ralentit son allure et ses freins grincèrent. Le chauffeur mit la tête à la portière alors que le monstre s'immobilisait, bloqué par le signal rouge. Quelques passagers se réveillèrent.

Une lady d'un certain âge, alarmée par ce brusque arrêt, ouvrit son compartiment et jeta un coup d'œil dans le couloir. Une des portes donnant sur la voie était ouverte et un ecclésiastique âgé, le crâne auréolé d'une touffe de cheveux blancs, marchait sur les rails. La voyageuse pensa qu'il venait de descendre pour se rendre compte de ce qu'il se passait. L'air était glacial. La lady battit en retraite dans son compartiment et essaya de se rendormir.

Sur la voie, un homme, agitant une lanterne, courait vers le convoi. Abandonnant son poste, le mécanicien sauta à bas de sa machine et le chef de train le rejoignit. L'homme à la lanterne arriva, essoufflé, et expliqua à mots hachés :

— Un sale accident, en avant. Un train de marchandises a déraillé...

Le chauffeur les rejoignit.

En queue de train, six hommes, qui venaient de surgir de derrière le talus, montaient dans le dernier compartiment par une porte qu'on leur avait ouverte de l'intérieur. Deux d'entre eux, la tête couverte d'un passe-montagne, se postèrent à chaque bout du wagon, matraque en main.

Un employé des chemins de fer passait dans les couloirs pour rassurer les voyageurs le pressant de questions.

— La ligne est bloquée en avant. Dix minutes d'arrêt, probablement.

Près de la locomotive, le mécanicien et le chauffeur gisaient étendus sur le ballast, bâillonnés et ligotés. Le porteur de lanterne appela :

— Tout va bien par ici ?

Le chef de train subit lui aussi le sort des deux chauffeurs.

Dans le wagon postal, les gangsters venaient de terminer leur travail. Ils laissaient derrière eux deux autres employés ficelés sur le plancher. Les sacs postaux furent jetés à des complices qui les transportèrent au-delà du talus.

Dans leurs compartiments, les voyageurs commençaient à se plaindre, déclarant que les chemins de fer n'étaient plus ce qu'ils avaient été autrefois.

Alors qu'ils se résignaient à se recoucher, le ronflement puissant d'un moteur monta dans le petit matin.

— Seigneur ! s'exclama une femme, est-ce là un avion à réaction ?

— Une voiture de course plutôt, répondit un autre voyageur.

Le ronflement s'estompa et s'éteignit en s'éloignant.

Sur l'autoroute de Bedhampton, neuf miles plus loin, une file de camions poursuivait son chemin vers le nord. Une grosse voiture de course les doubla à vive allure. Quelques miles encore et elle abandonna l'autoroute pour arriver au garage du coin de la route B qui arborait la pancarte « FERME ». Les portes du garage s'ouvrirent cependant pour laisser entrer la voiture blanche sur laquelle les lourds vantaux se refermèrent. Trois hommes s'employèrent aussitôt à changer le numéro minéralogique de l'auto tandis que le conducteur revêtait un nouveau costume. Ayant troqué son pardessus de mouton blanc contre une veste de cuir, il se remit au volant et reprit la route. Trois minutes après son départ, une vieille Morris, conduite par un ecclésiastique, partit en haletant, et s'engagea sur une route en lacets qui coupait la campagne.

Une canadienne familiale, progressant sur un chemin peu fréquenté, s'arrêta à la hauteur d'une vieille Morris, dont le chauffeur fourgonnait sous le capot.

— Vous avez des ennuis ? demanda le nouveau venu. Puis-je vous aider ?

— C'est très aimable à vous. Mon éclairage ne marche plus.

Les chauffeurs se rapprochèrent et regardèrent autour d'eux.

— Rien en vue.

Diverses valises de style américain, coûteuses, furent transportées de la Morris à la canadienne familiale qui repartit. Quelques minutes plus tard, la grosse voiture s'engagea dans ce qui semblait être une mauvaise piste et qui se révéla être l'allée menant derrière un château de belle apparence.

Au milieu de la cour centrale, une Mercedes blanche se trouvait en stationnement. Le chauffeur de la canadienne ouvrit son coffre à l'arrière et porta les valises dans la Mercedes blanche. Après quoi, il s'en fut.

Dans une ferme voisine, un coq lança son premier chant matinal.

CHAPITRE IX

Elvira Blake leva les yeux au ciel, constata que la matinée était belle et se rendit dans une cabine téléphonique. Elle composa le numéro de Bridget et, lorsqu'elle entendit la voix de son amie, elle s'exclama :

— Hello, Bridget !

— Oh ! Elvira, c'est vous ?

— Oui. Tout s'est-il bien passé ?

— Non, ce fut terrible. Votre cousine, Mrs Melford, a téléphoné hier après midi à Mummy.

— A mon sujet ?

— Oui. Je croyais pourtant m'être bien débrouillée lorsque je l'ai appelée hier à midi. Elle a dû se faire du souci pour vos dents, pensant que vous aviez peut-être un abcès ou quelque chose dans ce genre. Elle a donc appelé le dentiste et a découvert que vous aviez annulé votre rendez-vous. Elle a aussitôt alerté Mummy qui, malheureusement, se trouvait près du téléphone et qui lui a répondu qu'elle n'était pas au courant. Je ne savais que faire.

— Alors ?

— J'ai prétendu ne rien savoir, mais qu'il me semblait vous avoir entendu parler d'une visite à Wimbledon ?

— Pourquoi Wimbledon ?

— C'est le premier nom qui m'est passé par la tête.

Elvira soupira.

— Eh bien ! j'imagine qu'il va me falloir inventer une histoire. Une vieille gouvernante peut-être, qui habiterait ce quartier ? Toutes ces complications n'arrangent pas mes affaires. J'espère au moins que la cousine Milfred ne se rendra pas ridicule en alertant la police.

— Retournez-vous là-bas, à présent ?

— Ce soir seulement. J'ai d'abord un tas de courses à faire.

— Vous êtes allée en Irlande ?

— J'y ai découvert ce que je voulais savoir.

— Vous avez un accent sinistre !

— Je me sens d'une humeur sinistre.

— Ne puis-je vous aider, Elvira ?

— Personne ne peut m'aider. Il y a quelque chose que je dois entreprendre seule. J'espérais qu'un événement avait été imaginé, mais je viens d'apprendre qu'il a réellement eu lieu. Je ne sais que décider à ce sujet.

— Etes-vous en danger, Elvira ?

— Ne soyez pas mélodramatique, Bridget ! Il faudra que je me méfie, c'est tout. Que je me méfie beaucoup.

— C'est donc que vous êtes en danger ?

Au bout d'un moment de silence, Elvira dit pensivement :

— Je suppose que je me figure peut-être des choses, c'est tout.

— Elvira, qu'allez-vous décider au sujet de ce bracelet ?

— Ne vous inquiétez pas. Je me suis arrangée pour emprunter de l'argent à quelqu'un et ainsi je puis... quel est le mot ? le retirer du clou. Je le rapporterai simplement chez Bollard.

— Vous croyez qu'ils ne feront pas d'histoire ?... Non, Mummy, ce n'est que le blanchisseur. Il dit que nous n'avons jamais envoyé ce drap... Oui, Mummy, je vais prévenir la gérante...

A l'autre bout du fil, Elvira grimaça un sourire et reposa le combiné. Elle recomposa un numéro et, lorsqu'elle obtint une réponse, elle prit une petite voix essoufflée pour chuchoter :

— Allô, cousine Milfred... ? Oui, c'est moi. Je suis terriblement désolée... Oui, je sais... J'allais le faire... C'était la chère vieille Maddy, vous savez, notre Mademoiselle d'autrefois... ? J'ai bien écrit une carte postale, mais j'ai oublié de la poster. Je l'ai encore dans ma poche... Eh bien ! elle était malade et n'avait personne pour s'occuper d'elle, alors je me suis arrêtée au passage pour voir si elle n'avait besoin de rien... Je devais, en effet, me rendre chez Bridget, mais mes projets ont été modifiés à cause de cela. Je ne comprends pas au sujet du message que l'on vous a transmis ? Quelqu'un a dû mal comprendre. Je vous expliquerai tout à mon retour... Non, je vais juste attendre l'infirmière qui s'occupera de la pauvre Maddy. Non, non, ce n'est pas vraiment une infir-

mière, seulement une sorte de garde-malade. Maddy
refuse d'être soignée à l'hôpital. Je suis vraiment
navrée de vous avoir causé du souci, cousine Milfred.

En sortant de la cabine téléphonique, Elvira
remarqua, sur le trottoir d'en face, la pancarte accro-
chée à la porte d'un marchand de journaux : « Cambriolage d'un train postal irlandais. »

Mr Bollard servait un client lorsque la porte de la
bijouterie s'ouvrit pour livrer passage à l'honorable
Elvira Blake.

A l'assistant qui s'avançait vers elle, la jeune fille
déclara :

— Je préférerais attendre jusqu'à ce que Mr Bollard soit libre.

Bientôt le client sortit et Elvira prit sa place.

— J'ai peur que votre montre ne soit pas encore
prête, Miss Elvira, l'informa le bijoutier.

— Je ne viens pas pour la montre, mais plutôt
pour vous présenter des excuses. Une chose épouvantable s'est produite. (elle sortit de son sac une petite
boîte qu'elle ouvrit pour montrer le bracelet de
saphirs et diamants.) Vous vous rappelez, sans doute,
que lorsque je suis venue pour vous apporter ma
montre à réparer, j'ai demandé à voir plusieurs
bijoux et qu'à ce moment, il y eut un accident dans la
rue. Quelqu'un s'est fait écraser, je crois, ou a failli
être renversé par une voiture. Je suppose que je
tenais ce bracelet en main et que, sans réfléchir, je
l'ai fourré dans ma poche. Je ne l'y ai trouvé que ce
matin. Je suis donc revenue vous le rapporter immé-

diatement. Je ne sais comment j'ai pu accomplir un geste aussi stupide.

— Ce n'est pas très grave, Miss Elvira, prononça lentement Mr Bollard.

— Vous avez dû penser qu'on vous l'avait volé ?

Les yeux limpides de la jeune fille soutinrent le regard du bijoutier.

— Nous avons constaté son absence, simplement. Je vous remercie de l'avoir rapporté si promptement, Miss Elvira.

— J'ai eu une impression horrible lorsque je l'ai découvert. C'est très aimable à vous de vous montrer si compréhensif.

— On commet bien des erreurs et des plus étranges, Miss Elvira. Nous n'y penserons plus. Mais ne recommencez pas, cependant.

Il rit avec l'air de quelqu'un qui vient de lancer une petite plaisanterie innocente.

— Sûrement pas ! répliqua Elvira. Je ferai très attention, à l'avenir.

Elle lui sourit et quitta le magasin.

— Je me demande... murmura Mr Bollard.

Un de ses associés, qui avait suivi la scène de loin, s'approcha.

— Ainsi, elle l'avait bien pris ?

— Oui.

— Cependant, elle l'a rapporté.

— Je ne l'aurais pas cru.

— Pensez-vous que son histoire soit vraie ?

— Elle est plausible.

— Il s'agit peut-être de kleptomanie ?

— A mon avis, elle avait une raison pour voler ce

bijou. Cette affaire est intéressante, cependant...
elle l'a rapporté si tôt.

— De toute façon, il est préférable que nous
n'ayons pas averti la police. J'admets que j'en avais
l'intention.

— Vous n'avez pas autant d'expérience que moi
dans le métier. Dans ce cas, il valait beaucoup mieux
s'abstenir. Cette affaire est intéressante cependant...
Je me demande quel âge a cette jeune fille ? Dix-sept,
dix-huit ans ? Elle s'est peut-être mise dans un pétrin
quelconque.

— Je croyais vous avoir entendu dire qu'elle était
très riche ?

— Il y a des héritières possédant une fortune dont
elles ne peuvent disposer à dix-sept ans. Très souvent, ces riches héritières sont plus à court d'argent
que les plus pauvres. Enfin, nous ne saurons jamais
la vérité sur cette affaire.

Il replaça le bracelet dans sa vitrine et retourna à
ses occupations.

CHAPITRE X

Les bureaux d'Egerton, Forbes et Wilborough se dressaient dans Bloomsbury et donnaient sur un de ces squares qui n'ont pas encore subi l'action du progrès. La firme existait depuis plus de cent ans et sa clientèle se composait, en grande partie, de représentants de l'aristocratie terrienne anglaise. Les Forbes et les Wilborough n'existaient plus, mais les Atkinson, père et fils, un Lloyd gallois et un Mac-Allister écossais continuaient la tradition. Un Egerton existait encore cependant, descendant des fondateurs de la firme et conseiller juridique de plusieurs familles qui s'en étaient toujours remises à ses grand-père et père pour diriger leurs affaires.

Richard Egerton était un bel homme d'environ cinquante ans, aux cheveux noirs, légèrement argentés sur les tempes et à l'œil gris, pénétrant.

Il était occupé avec un client lorsque le timbre du téléphone résonna discrètement sur son bureau.

L'homme d'affaires fronça les sourcils, prit l'appareil et lança sèchement :

— Je croyais avoir demandé qu'on ne me dérange pas.

Un murmure lui répondit et il hocha la tête.

— Je vois. Priez-le d'attendre, voulez-vous ?

Il retourna vers son visiteur avec lequel il acheva de régler un problème, puis lorsqu'il fut débarrassé de lui, il demanda à sa secrétaire de faire entrer Miss Blake qui attendait.

Il se demanda quel âge la jeune fille pouvait avoir à présent. Quinze ? Dix-sept ans ? Le temps passait si vite. L'enfant de Coniston et de Bess. Auquel des deux ressemblait-elle ?

La porte s'ouvrit, l'employé annonça Miss Blake qui fit son apparition. Egerton se leva. Au premier coup d'œil, il estima qu'elle ne ressemblait à aucun de ses parents. Grande, mince, très blonde, le teint de Bess, mais rien de sa vitalité, un air plutôt vieux jeu, bien qu'avec la mode actuelle, il soit difficile de juger.

— Eh bien ! s'exclama-t-il en lui serrant la main. Voilà une surprise ! La dernière fois que je vous ai vue, vous aviez à peine onze ans. Venez vous asseoir. (Il l'installa dans un fauteuil confortable.) Qu'est-ce qui vous amène à Londres ?

— Une visite chez le dentiste.

— Pas très agréable. Je remercie cependant le dentiste de me fournir le plaisir de vous voir. Voyons, vous étiez en Italie, je crois, pour terminer votre éducation dans un de ces endroits que fréquentent les jeunes filles modernes ?

— Chez la comtesse Martinelli. Mais j'ai achevé

mes études, à présent. Je vis chez les Melford, dans le
Kent, en attendant de décider si j'entreprends ou non
une carrière.

— J'espère que vous découvrirez une voie qui
vous plaira. Vous ne pensez pas à l'université, par
hasard ?

— Non, je ne crois pas être assez intelligente pour
cela. Je suppose que si je me décide, il me faudra
vous demander votre avis ?

Une lueur brilla dans le regard d'Egerton.

— Je suis l'un de vos tuteurs et dépositaires du
testament de votre père. Vous avez donc le droit de
demander mon avis, quand vous le voulez.

— Merci, répondit poliment Elvira.

— Y a-t-il quelque chose qui vous tourmente ?

— Non, pas vraiment, mais, vous comprenez, je ne
sais rien de ce qu'il se passe. Personne ne m'explique
jamais quoi que ce soit et il est très gênant de poser
des questions.

— Vous voulez dire en ce qui vous concerne ?

— Oui. Mon oncle Derek...

— Derek Luscombe ?

— Je l'ai toujours appelé mon oncle. Il est très
bon, mais n'est pas le genre de personne qui aime
donner des explications. Il se contente d'arranger
mon emploi du temps et craint toujours de me
déplaire.

— Quelque chose vous déplairait-il, justement ?

— Non, ce n'est pas cela du tout. Mais j'ignore
tout de ma situation. Par exemple, quelle somme
d'argent je possède et ce dont je dispose en cas de
besoin ?

— Vous voulez donc parler affaires. Vous avez raison. Voyons... Quel âge avez-vous ?

— J'ai presque vingt ans.

— Grand Dieu ! Je ne m'en doutais pas !

— Vous comprenez, j'ai l'impression d'être couvée et isolée. En un sens, ce n'est pas désagréable, mais cela peut devenir très irritant parfois.

— Je conviens que c'est une méthode passée de mode, mais elle correspond assez à Derek Luscombe. En fait, que savez-vous de vous-même, Elvira ? De votre situation familiale ?

— Seulement que mon père est mort lorsque j'avais cinq ans, et que ma mère s'est enfuie avec un autre homme lorsque j'avais deux ans. Je ne me souviens pas d'elle, et de mon père très vaguement. Il était vieux et gardait une jambe allongée sur une chaise. Il avait coutume de jurer et j'avais plutôt peur de lui. Après sa disparition, j'ai dû vivre avec une de ses tantes ou cousines et, à la mort de cette dernière, je suis allée chez oncle Derek et sa sœur. Cette dernière, enterrée, j'ai été expédiée en Italie. A présent, oncle Derek m'envoie chez les Melford qui ont deux filles à peu près de mon âge.

— Etes-vous heureuse chez eux ?

— Trop tôt pour avoir une opinion, j'y arrive à peine. Mais ils me paraissent tous très ennuyeux. J'aimerais connaître la somme dont je dois hériter ?

— Votre père était très riche et vous êtes sa seule enfant. A sa mort, ses titres et propriétés allèrent à un cousin. Comme il n'aimait pas beaucoup ce dernier, votre père vous a laissé tous ses biens personnels, Elvira. Vous êtes donc quelqu'un de très riche...

tout au moins, vous le serez lorsque vous atteindrez
votre majorité.

— Vous voulez dire qu'à présent je ne possède
rien ?

— Vous ne pouvez en disposer, à moins que vous
ne soyez mariée. Jusqu'à votre majorité, vos tuteurs
légaux gèrent votre fortune. Nous l'avons fait prospé-
rer, rassurez-vous.

— Combien aurai-je ?

— A vingt et un ans, ou à votre mariage, s'il a lieu
auparavant, vous entrerez en possession de six cent
ou sept cent mille livres.

— C'est beaucoup, en effet, admit la jeune fille
impressionnée.

— C'est probablement pourquoi personne ne vous
en a jamais parlé jusqu'ici.

Il l'observa alors qu'elle méditait sur ce point. Une
fille intéressante bien qu'elle ait l'air sainte nitouche
au premier abord.

Il reprit avec un soupir quelque peu ironique :

— Cela vous satisfait-il ?

— J'aurais tort de prétendre le contraire.

Elle se replongea dans sa rêverie et lança soudain :

— A qui irait cet argent si je mourais ?

— A votre parent le plus proche.

— Il me serait donc impossible de rédiger un
testament maintenant ?

— Non.

— Cela m'ennuie un peu. Si j'étais mariée, ce
serait mon mari qui hériterait ?

— Oui.

— Sinon, ce serait ma mère. Apparemment, je n'ai

pas de famille, je ne connais même pas ma mère. Comment est-elle ?

— Une femme remarquable, de l'avis de tout le monde.

— N'a-t-elle jamais désiré me voir ?

— Peut-être que si, mais ayant en quelque sorte... gâché sa vie, elle juge probablement qu'il vaut mieux que vous soyez élevée loin d'elle.

— Etes-vous certain que c'est là ce qu'elle pense ?

— Ce n'est qu'une hypothèse.

La jeune fille se leva.

— Je vous remercie. C'est très aimable à vous de m'avoir expliqué tout ceci.

— Je crois qu'il vaut mieux que vous ayez été avertie.

— Oncle Derek pense pourtant que je ne suis encore qu'une enfant.

— Il n'est pas très jeune et vous devez nous pardonner de voir les choses sous l'angle de notre vieille expérience.

Elvira le regarda un moment avant de déclarer :

— Mais, vous, vous ne pensez pas que je suis une enfant ? Vous devez mieux connaître les femmes qu'oncle Derek qui n'a jamais fréquenté que sa sœur ? (Elle avança la main et conclut avec coquetterie.) Merci beaucoup. J'espère que je n'ai pas interrompu un travail important.

Elle sortit.

Egerton resta un moment à contempler pensivement la porte par laquelle la visiteuse venait de disparaître. Il hocha la tête et retourna à son bureau. Il attira à lui une pile de dossiers mais ne put se concentrer sur son travail. Brusquement, il prit le téléphone.

— Miss Cordelle, voulez-vous m'appeler le colonel Luscombe, je vous prie. Essayez d'abord à son club, puis à son adresse dans le Shropshire.

Il reposa le combiné et commença à lire ses papiers, l'esprit ailleurs. La sonnerie du téléphone résonna.

— Le colonel Luscombe est en ligne, Mr Egerton.

— Merci. Allô, Derek ? Richard Egerton à l'appareil. Comment allez-vous ? Je viens d'avoir la visite de votre pupille.

— Elvira ? Mais pourquoi ? Elle n'a pas d'ennuis au moins ?

— Je dirais plutôt qu'elle semblait assez satisfaite d'elle-même. Elle voulait connaître sa position financière.

— Vous ne lui avez rien dit, j'espère ?

— Pourquoi pas ? A quoi bon garder le secret ?

— Je trouve que c'est un peu imprudent d'annoncer à une jeune fille qu'elle est héritière d'une telle fortune.

— S. elle le désirait, elle pourrait l'apprendre de quelq. un d'autre que nous. Elle doit se préparer à faire face à sa situation future. L'argent est une responsabilité.

— Mais elle n'est encore qu'une enfant !

— En êtes-vous sûr ?

— Comment cela ? Naturellement, voyons !

— Je ne suis pas de votre avis. Qui est le petit ami ?

— Je vous demande pardon ?

— Quel est son flirt ? Il doit bien y avoir un garçon dans les parages ?

— Non. Rien de la sorte. Qu'est-ce qui a pu vous donner cette impression ?

— Aucune confidence de sa part, mais si j'en crois mon expérience, vous allez bientôt découvrir qu'un garçon l'intéresse.

— Je puis bien vous affirmer que vous vous trompez. Elvira a été élevée très sévèrement. Elle a fréquenté des écoles très bien et sort juste d'une institution italienne très fermée. Si quelque chose de particulier se passait, je serais au courant. Je sais qu'elle connaît un ou deux garçons charmants, mais rien ne laisse à penser qu'il s'agisse d'autre chose que de la pure camaraderie entre Elvira et eux.

— Je suis presque certain qu'une histoire sentimentale existe et que le garçon en question est probablement un... enfin, quelqu'un qui ne vous plairait pas.

— Mais pourquoi, Richard ? Que savez-vous des jeunes filles pour décider ainsi ?

— J'ai l'occasion, dans mon métier, d'avoir affaire à un assez grand nombre de jeunes filles. Rien que cette année, j'ai eu trois cas déplorables. La jeunesse actuelle ne reçoit plus les soins attentifs qu'on lui portait autrefois. Il est même presque impossible de pouvoir veiller sur elle.

— Mais je vous assure qu'Elvira a été surveillée avec soin.

— L'ingéniosité des jeunes de l'âge d'Elvira dépasse l'imagination. Surveillez-la, Derek. Essayez de découvrir ce qu'elle complote.

— Ridicule ! Elvira est une jeune fille toute simple.

— Ce que vous ignorez au sujet des douces jeunes filles simples, remplirait un album. Souvenez-vous que sa mère s'est enfuie avec un homme de peu et suscita un scandale. Elle était à l'époque plus jeune que ne l'est Elvira actuellement. Quant au vieux Coniston, il passait pour un des pires vauriens d'Angleterre.

— Vous m'ennuyez, Richard. Enormément.

— Autant que vous soyez averti. Je n'ai pas beaucoup aimé une question qu'elle m'a posée, lors de sa visite. Pourquoi est-elle si anxieuse de savoir qui hériterait d'elle au cas où elle mourrait ?

— Tiens ! elle m'a posé la même question !

— Vraiment ? Pourquoi son esprit est-il préoccupé par l'éventualité d'une mort prématurée ? Elle m'a aussi interrogé sur sa mère.

— Je souhaiterais que Bess accepte de se mettre en rapport avec elle.

— En avez-vous parlé à Bess ?

— Oui. Je l'ai rencontrée par hasard dans l'hôtel où nous étions descendus. Je l'ai pressée de voir sa fille.

— Et qu'a-t-elle répondu ?

— Elle a refusé catégoriquement. Elle estime qu'elle n'est pas un bon exemple pour une jeune fille.

— Il faut admettre qu'elle n'a pas tort sur ce point. Elle s'affiche beaucoup avec ce coureur automobile.

— J'en ai vaguement entendu parler.

— Si cette affaire est sérieuse, cela expliquerait sa

réaction. Les amis de Bess sont pour la plupart de
drôles de numéros. Mais quelle femme extraordinaire !

— Elle a toujours été son pire ennemi.

— Désolé de vous avoir dérangé, Derek, mais je
vous conseille de veiller sur les individus qui tournent
autour d'Elvira. Vous ne direz pas que vous n'avez
pas été averti.

Il raccrocha et se remit au travail, l'esprit sou-
lagé.

CHAPITRE XI

Mrs McCrae, gouvernante du chanoine Pennyfather, avait acheté une sole de Douvres pour le retour
de son maître. Le poisson se trouvait sur la table de
la cuisine, prêt à être mis au feu, avec un bol de pâte
à crêpes. Tout était en ordre. Les cuivres astiqués,
l'argenterie étincelante et pas un brin de poussière ne
traînait sur aucun meuble.

Le chanoine devait arriver par le train de Londres,
à dix-huit heures trente.

A dix-neuf heures, il n'était pas là. Sans aucun
doute, le train avait-il du retard. A dix-neuf heures
trente, toujours rien. Mrs McCrae pinça les lèvres,
vexée. Elle soupçonna quelque excentricité de son
maître. Vingt heures et pas de chanoine. Un coup de
téléphone la rassurerait sûrement bientôt, bien qu'elle
supposât qu'il n'y penserait même pas. Sans doute,
lui avait-il écrit et, probablement, omis de poster sa
lettre.

A vingt et une heures, elle se fit trois crêpes et

rangea soigneusement la sole dans le frigidaire. Elle
savait par expérience que le chanoine pouvait se
trouver en ce moment n'importe où. Mais il s'apercevrait de son erreur à temps pour pouvoir lui télépho-
ner avant qu'elle n'aille se coucher.

— J'attendrai jusqu'à onze heures, décida-t-elle à
haute voix.

Habituellement, elle se couchait à dix heures
trente. Une prolongation jusqu'à onze heures était
pour elle un devoir, mais si, à cette heure-là, il
n'avait pas appelé, elle gagnerait sa chambre.
Mrs McCrae ne s'inquiétait pas encore outre mesure
car ce genre d'incident s'était maintes fois produit. Il
n'y avait rien d'autre à faire qu'à attendre. Il était
possible que le chanoine soit monté dans le mauvais
train et ne s'aperçoive de son erreur qu'arrivé à
Land's End ou à John o'Groats. Ou bien il se trouvait encore à Londres, s'étant trompé de date, et
pensant ne devoir revenir que le lendemain. Enfin, il
avait pu rencontrer des amis à ce congrès et décidé
de demeurer en Suisse jusqu'après le week-end. Il
avait sûrement eu l'intention de prévenir sa gouvernante de ce contretemps, mais il avait oublié. Dans
deux jours, son vieil ami, l'archidiacre Simmons, devait arriver et c'était là un événement dont le chanoine
se souviendrait. Le lendemain donc, un télégramme
avertirait Mrs McCrae que son maître lui-même serait
de retour.

Le lendemain cependant, rien n'arriva par le courrier. Pour la première fois, Mrs McCrae commença
à se sentir mal à l'aise. De neuf heures à une
heure de l'après-midi, elle jeta des coups d'œil hési-
tants sur le téléphone. Elle avait des idées particu-

lières sur cet appareil. Elle s'en servait et admettait
son utilité, mais elle ne l'aimait pas. La plupart de
ses commandes étaient passées par téléphone cependant, bien qu'elle préférât de beaucoup se rendre
chez les commerçants, persuadée que le client est
toujours volé quand il ne peut surveiller ce qu'on lui
vend. Elle appelait aussi quelques-unes de ses voi-
sines amies. Mais se lancer dans un appel à longue
distance, Londres, par exemple, l'effrayait et puis
c'était un énorme gaspillage d'argent.

Le jour suivant, lorsque la nuit tomba, elle décida
pourtant de surmonter ses craintes, car elle se trouvait toujours sans nouvelles du chanoine. Elle savait
qu'il était descendu à l'hôtel *Bertram*, à Londres, et si
elle demandait à parler à Miss Gorringe, elle appren-
drait peut-être ce qui avait pu retarder l'ecclésiastique ? Elle attendit que l'heure du dernier train en
provenance de Londres fût passée pour appeler le
Bertram.

— L'hôtel *Bertram* à votre service, dit une voix.

— Je voudrais parler à Miss Gorringe, s'il vous
plaît.

— De la part de qui ?

— La gouvernante du chanoine Pennyfather,
Mrs McCrae.

— Un moment, je vous prie.

Bientôt la voix calme et attentive de Miss Gorringe
s'éleva :

— Miss Gorringe à l'appareil. Mrs McCrae ? Que
puis-je pour vous ?

— Le chanoine Pennyfather est-il encore à votre
hôtel ?

— Je suis heureuse que vous téléphoniez, car nous ne savions que décider...

— Quelque chose serait-il arrivé au chanoine Pennyfather ? A-t-il eu un accident ?

— Non, rien de la sorte, mais nous attendions son retour de Lucerne vendredi ou samedi, et il n'est pas revenu. Nous n'avons pas eu de problème, car il avait réservé sa chambre jusqu'à hier. Nous n'avons aucune nouvelle de lui cependant et tout son bagage est ici. Nous ne savons que faire à ce sujet. Naturellement, nous avons remarqué que le chanoine est... légèrement distrait parfois.

— Vous pouvez le dire !

— Nous nous trouvons dans une situation embarrassante. Sa chambre est actuellement louée à un autre client. Vous n'avez aucune idée du lieu où il se trouverait ?

— Il peut être n'importe où ! Merci de ces renseignements, Miss Gorringe. J'aurai sûrement de ses nouvelles bientôt.

Elle remercia à nouveau Miss Gorringe et raccrocha, mais resta un moment près du téléphone, inquiète bien qu'elle ne se fît pas de souci pour la sécurité personnelle du chanoine. S'il avait eu un accident, elle aurait déjà été prévenue. Sachant son maître très étourdi, Mrs McCrae jugeait qu'une certaine providence l'accompagnait, le protégeant contre le malheur. Ce qui l'ennuyait, c'était l'arrivée ce soir même de l'archidiacre qui comptait trouver le chanoine chez lui. Elle n'avait pu le prévenir, ne sachant où le joindre. Elle lui expliquerait l'absence de son maître et elle se rassura en pensant que l'archidiacre déciderait de ce qu'il faudrait faire à ce sujet.

L'archidiacre Simmons était, à l'opposé du chanoine, un homme plein de logique. Lorsqu'il arriva et eut entendu les explications de Mrs McCrae, il ne parut pas inquiet.

— Ne vous faites pas de mauvais sang, Mrs McCrae, conclut-il jovialement en s'installant devant le repas qu'elle lui avait préparé, nous allons rechercher le vieux distrait. Avez-vous jamais entendu cette histoire arrivée à Chesterton ? G. K. Chesterton, l'écrivain ? Il envoya un télégramme à sa femme alors qu'il se trouvait en tournée : « Suis à la station de Crewe. Où devrais-je être ? »

L'archidiacre rit et Mrs McCrae sourit poliment. Elle ne trouvait pas l'histoire drôle, car elle aurait très bien pu arriver au chanoine.

— Ah ! s'exclama l'archidiacre avec enthousiasme, les excellentes côtelettes de veau ! Vous êtes une merveilleuse cuisinière, Mrs McCrae, et j'espère que mon vieil ami vous apprécie ?

La côtelette de veau ayant été suivie d'un petit pudding arrosé d'une sauce aux mûres, le dessert préféré de l'archidiacre, l'ecclésiastique se décida à entreprendre la recherche de son ami. Il attaqua au téléphone avec vigueur, sans tenir compte de la dépense, ce qui ne laissa pas d'épouvanter Mrs McCrae.

Ayant d'abord, selon son devoir, appelé la sœur du chanoine, qui se préoccupait peu des allées et venues de son frère et ignorait où il pouvait être en ce moment, l'archidiacre lança son filet plus loin. Il appela à son tour le *Bertram*, où on lui fournit des

détails précis. Le chanoine avait quitté l'hôtel dans la
soirée du 19, portant un petit sac de voyage B.E.A. et
laissant ses valises dans la chambre qu'il avait rete-
nue pour plusieurs jours. Au cours de son séjour au
Bertram, il avait fait allusion à une conférence à
laquelle il devait assister, à Lucerne. En quittant
l'hôtel, il ne s'était pas directement rendu à l'aérogare. Le commissionnaire se souvenait que le chanoine
donna au taxi l'adresse de son club, l'Athenoeum. Il
n'avait pas reparu au *Bertram* depuis. Un détail à
signaler : le chanoine omit de laisser sa clé à la
réception avant de partir. Ce n'était pas, d'ailleurs, la
première fois.

L'archidiacre réfléchit un moment, puis il composa
le numéro du docteur Weissgarter, un hébraïsant
émérite qui avait sûrement assisté au congrès.

Dès qu'il sut qui était son interlocuteur, le docteur
Weissgarter se lança dans une critique sévère d'un de
ses confrères qui avait lu un papier à la conférence
de Lucerne.

— Très mauvais, ce nommé Hogarov. Je n'arrive
pas à comprendre comment on l'a accepté parmi
nous. Un érudit de pacotille ! Savez-vous ce qu'il a
osé déclarer ?

L'archidiacre soupira et dut se montrer ferme pour
forcer le docteur à en venir à ce qui l'intéressait.

— Pennyfather ? Il aurait dû être présent. Il y a
seulement une semaine, il affirmait qu'il viendrait.

— Vous voulez dire qu'il n'a pas assisté au
congrès ?

— C'est ce que je viens de vous expliquer.

— Savez-vous pourquoi il n'est pas venu ? A-t-il
envoyé un mot d'excuse ?

— Comment le saurais-je ? Plusieurs personnes ont remarqué son absence. On a pensé qu'il avait peut-être la grippe, car le temps est traître à cette époque.

Il allait se relancer dans ses critiques sur les érudits, mais l'archidiacre raccrocha. Il venait de découvrir que le chanoine n'était pas présent au congrès et cela lui donna un léger sentiment de gêne. Le chanoine avait peut-être oublié le jour où il devait voyager, mais, dans ce cas, où donc était-il allé ?

Il s'adressa cette fois à l'aérogare de Londres, ce qui le força à attendre longtemps, puis à se faire transférer de service en service pour apprendre finalement que le chanoine Pennyfather avait retenu une place dans l'avion pour Lucerne à 21 h 40, le 18, mais qu'il ne s'était pas présenté au contrôle.

— Nous progressons, lança l'archidiacre à Mrs McCrae qui rôdait dans son dos. Qui vais-je essayer à présent ?

— Tous ces appels vont coûter une fortune ?

— J'en ai bien peur. Mais il nous faut le retrouver, il n'est plus un tout jeune homme, vous savez.

— Vous ne pensez tout de même pas que quelque chose de grave soit arrivé ?

— J'espère que non. Il emporte bien des papiers avec lui ?

— Il a toujours une carte et de nombreuses lettres dans ses poches.

— Alors, il n'est sûrement pas à l'hôpital. Voyons, en quittant l'hôtel, il s'est rendu à l'Athenoeum. Je vais les appeler.

Au club, on lui répondit que le chanoine y avait dîné à sept heures trente, le 19.

C'est à ce moment que l'archidiacre fut frappé par
un détail important : le billet d'avion avait été daté
pour le 18, mais le chanoine avait quitté le *Bertram*
dans la soirée du 19, ayant fait allusion à la conférence à laquelle il se rendait. La lumière commençait
à briller.

— Il s'est trompé de date, expliqua-t-il à la gouvernante. Le congrès avait lieu le 19 et il aurait dû
prendre son avion le 18.

L'archidiacre traça mentalement l'itinéraire qu'avait
dû emprunter le chanoine dans la soirée du 19.
S'étant rendu à l'aérogare, il avait été contraint de
réaliser son erreur. Ensuite... il serait retourné à
l'hôtel pour y récupérer ses bagages. Mais là personne ne l'avait vu. Y serait-il rentré sans qu'on l'y
ait remarqué ?

— Il aura peut-être rencontré un ami en route,
suggéra Mrs McCrae d'un air de doute.

— C'est possible. Un ami chez lequel il est peut-
être resté... mais pas pendant plusieurs jours
voyons ! Il n'aurait pas oublié pendant trois jours
que ses bagages étaient restés à l'hôtel. Il aurait au
moins téléphoné ou les aurait récupérés.

— Alors, un accident ?

— Dans ce cas, puisqu'il garde toujours ses
papiers sur lui, on vous aurait prévenue. A mon avis,
il ne nous reste qu'une chose à faire...

La gouvernante le regarda avec appréhension,
alors qu'il continuait doucement :

—... nous adresser à la police

CHAPITRE XII

Miss Marple appréciait son séjour à Londres. Elle profitait d'un tas de plaisirs qu'elle n'avait pas eu le temps de satisfaire lors de sa brève visite précédente. Dans les grands magasins elle profita de certains prix de rabais sur le linge de maison. Ayant dépensé ce qu'elle considérait être une somme raisonnable pour des achats pratiques, elle consacra le temps qu'il lui restait à des excursions personnelles. Elle revisita des magasins et lieux qui avaient marqué sa jeunesse, quelquefois simplement pour se rendre compte s'ils existaient toujours.

Après le déjeuner que suivait une petite sieste, elle sortait en évitant le portier qui essayait toujours de la persuader de se déplacer en taxi à cause de son âge. Munie d'une carte de métro et d'autobus, elle partait à l'aventure, à la recherche de ses souvenirs.

Par un doux et plaisant après-midi, Miss Marple s'embarqua dans un autobus qui la déposa au-delà de Battersea Bridge. Elle allait s'offrir une double joie :

jeter un coup d'œil sentimental sur les « Princes Terrace Mansions » où une de ses vieilles gouvernantes avait habité, et visiter le parc de Battersea. La première partie de son plan échoua. L'ancien logement de Miss Ledbury avait disparu, remplacé par une masse de béton.

Miss Marple, qui avait toujours été une bonne marcheuse, s'engagea dans le parc. Très vite, elle réalisa que son endurance n'était plus la même qu'autrefois. Bientôt, son pas devint plus lent et elle fut heureuse de rencontrer un petit salon de thé situé près du lac. Peu de monde s'y trouvait : quelques mères avec leur landau et un ou deux couples d'amoureux.

Miss Marple, munie d'un plateau de thé et de gâteaux, s'assit à une table et but son infusion avec plaisir. Ayant repris des forces, la vieille demoiselle jeta un coup d'œil alentour et soudain son regard se figea ! Quelle étrange coïncidence ! D'abord les magasins Army et Navy et, à présent, ce salon de thé perdu dans un parc. Ces deux-là choisissaient des endroits assez originaux... Mais non, elle se trompait. Il existait bien une certaine similitude, mais il ne s'agissait pas de Bess Sedgwick, ce coup-ci. Cette personne était beaucoup plus jeune. La fille, bien sûr ! Sa fille qui était venue au *Bertram* avec le colonel Luscombe, l'ami de Selina Hazy. L'homme qui accompagnait la jeune fille était celui qui avait déjeuné avec Bess Sedgwick au restaurant des magasins Army et Navy. Le même air charmeur, le même profil d'oiseau de proie.

— Mauvais, pensa Miss Marple. Sans scrupule.

D'abord la mère et, à présent, la fille ? Qu'est-ce que cela signifie ?

Miss Marple accordait rarement à quelqu'un le bénéfice du doute, mais pensait invariablement au pire et, neuf fois sur dix, elle ne se trompait pas dans son jugement. Ces deux rencontres étaient sûrement plus ou moins secrètes.

Elle observa le couple, la façon dont les deux jeunes gens se penchaient l'un vers l'autre (leurs têtes se touchant presque), s'entretenant avec volubilité. La jeune fille était amoureuse, désespérément amoureuse, comme ne le sont que les très jeunes. Mais à quoi pensaient ses tuteurs de la laisser ainsi traîner seule dans Londres et y courir à des rendez-vous clandestins ? Une jeune fille de si bonnes manières et si gentiment élevée ! Trop gentiment, peut-être ? Sa famille devait la croire ailleurs et la petite savait sûrement très bien mentir.

Pour sortir, Miss Marple passa le plus près possible de leur table et ralentit le pas au passage, mais ils parlaient à voix si basse qu'elle ne put attraper un mot de leur conversation. Le garçon chuchotait et la jeune fille l'écoutait, à demi heureuse, à demi effrayée. « Ils complotent probablement de s'enfuir ensemble, pensa Miss Marpe. Elle est encore trop jeune. »

A l'extérieur, la promeneuse contourna le bâtiment et déboucha sur le terrain réservé aux voitures. Elle s'arrêta devant un véhicule d'un modèle peu courant et qu'elle avait remarqué auparavant, bien qu'elle ne s'intéressât pas aux automobiles. Pas plus tard qu'hier, elle avait vu celui-ci ou un autre semblable dans une rue voisinant le *Bertram*. Elle l'avait contemplé non seulement parce que c'était un modèle peu commun, mais aussi à cause de sa plaque minéralogique qui avait éveillé en elle une association d'idées avec sa cousine Fenny Godfrey qui était bègue. Un jour, elle avait déclaré : « J'ai d... d... deux ci... ci... cicatrices. » Cela avait amené dans l'esprit de Miss Marple une sorte de rapprochement avec le numéro de cette voiture : FAN 2266.

Poussée par la curiosité, Miss Marple s'approcha de la grande voiture de sport. Le même numéro : FAN 2266. Elle reprit sa marche, l'esprit préoccupé et arriva très fatiguée au pont de Chelsea où elle héla le premier taxi qui passait. Elle était tourmentée par le sentiment qu'elle devait tenter quelque chose, mais elle ne savait pas quoi. Elle fixa au passage la pancarte d'un marchand de journaux où elle lut : « Sensationnel développement dans l'affaire du courrier irlandais. Le témoignage du chauffeur de la locomotive. »

« Vraiment, pensa la vieille demoiselle, il semble que pas un jour ne doive se dérouler sans un hold-up. »

CHAPITRE XIII

Rappelant vaguement un gros bourdon en plein vol, le chef inspecteur « Father » Davy errait dans les confins du C.I.D. (1) en fredonnant. Une habitude bien connue, annonçant à ses subalternes qu'il rôdait dans les parages. Continuant son bourdonnement, Father arriva au bureau où l'inspecteur Campbell, assis derrière sa table de travail, semblait s'ennuyer. L'inspecteur Campbell était un jeune homme ambitieux qui tenait la plus grande partie de sa tâche pour une corvée assommante. Cependant, il s'appliquait à accomplir son devoir et recevait parfois quelques encouragements de ses supérieurs.

— Bonjour, Sir, dit-il poliment en se redressant. (Comme tout le monde, il appelait Davy « Father », derrière son dos, mais ne comptait pas assez d'ancienneté pour user du terme trop familier en présence de son supérieur.) Puis-je faire quelque chose pour vous ?

(1) C.I.D. : Criminal Investigation Department. Equivalent de la Sûreté nationale.

— La ! la ! boum ! continua Davy. Pourquoi m'appelez-vous Mary quand mon nom est Miss Gibles ?

Après cette apostrophe inattendue, il empoigna une chaise sur laquelle il prit place à califourchon avant de s'enquérir distraitement :

— Beaucoup de travail ?

— Modérément, Sir.

— Vous êtes sur une affaire de disparition, je crois ? Au sujet d'un hôtel, le *Bertram*, hé ?

— Oui, Sir, l'hôtel *Bertram*.

— Infraction à l'heure de fermeture réglementaire du bar ? Filles trop... professionnelles ?

— Oh ! non, Sir ! (Campbell parut choqué de telles suggestions se rapportant au *Bertram*.) Cet hôtel est très calme et vieux jeu.

— Vraiment ? Intéressant...

L'inspecteur se demanda en quoi cela était intéressant, mais il n'osa pas questionner son supérieur car l'atmosphère du C.I.D. était empoisonnée par la réussite du hold-up du train irlandais. Il observa le large visage bovin lui faisant face et se demanda comment « Father » avait atteint un rang respecté de tous au C.I.D. « Il devait être bien pour son époque, je suppose, pensa-t-il, mais il y a plusieurs gars qui mériteraient bien de remplacer tout ce bois mort. »

Le « bois mort » sortit de sa rêverie pour lancer :

— Dites-moi ce qu'il s'est passé à l'hôtel *Bertram* : qui a disparu, comment et pourquoi ?

— Un certain chanoine Pennyfather, Sir, un ecclésiastique âgé.

— Une affaire sans intérêt, hé ?

— En un sens, oui.

— Comment est-il ?

— Qui ? Le chanoine ?

— Oui. Vous avez bien sa description ?

— Certainement, Sir.

Campbell fouilla dans un dossier et sortit une feuille de papier qu'il lut :

— Taille : 5 pieds 8 pouces, grosse touffe de cheveux blancs sur la tête, voûté...

— Quand a-t-il disparu du *Bertram* ?

— Il y a environ une semaine, le 19 novembre.

— Et ils viennent juste de signaler sa disparition ? Ils ont mis le temps, non ?

— Je crois que tout le monde pensait qu'il reviendrait très vite.

— Aucune idée de ce qui se cache derrière cette disparition ? Aurait-il eu une raison ? Serait-il un de ces vieux garçons étourdis auxquels ce genre de chose arrive ?

— D'après ce que je sais, ce serait possible, Sir. Il paraît qu'il est coutumier du fait.

— Quel fait ? Disparaître d'un hôtel respectable du West End ?

— Non. De rentrer chez lui le lendemain du jour où il devait arriver. A l'occasion, il se présente chez des amis qui n'attendent pas sa visite, alors que ceux qui l'ont invité se demandent où il est.

— Cela correspond bien à un certain caractère. Quand avez-vous dit qu'il avait disparu ?

— Le jeudi 19 novembre, Sir. Il était supposé se rendre à un congrès à ... (Il consulta ses notes.) à Lucerne.

— Il doit être asez âgé ?

— Soixante-trois ans, Sir.

— Donc, le vieux garçon n'est pas allé à Lucerne, n'est-ce pas ?

Campbell mit son chef au courant de tout ce qu'il savait de l'affaire et conclut :

— J'imagine qu'il reparaîtra un de ces jours, sans histoire, mais nous devons poursuivre l'enquête. Cela vous intéresse-t-il, Sir ?

— Non, répondit pensivement Father, mais c'est la date de la disparition qui m'intrigue, et aussi le *Bertram*, naturellement.

— Un hôtel qui a toujours été fort respectable, Sir. Jamais le moindre ennui d'aucune sorte.

— Je vous crois, mais j'aimerais bien y jeter un coup d'œil.

— Bien sûr, Sir. Quand vous voudrez. J'avais pensé m'y rendre ce matin.

— Je pourrais vous y accompagner. L'affaire de votre chanoine disparu m'offre une bonne occasion. Pas besoin de m'appeler Sir, sur place. Je passerai pour votre nègre.

Le regard de l'inspecteur Campbell brilla d'une lueur d'intérêt.

— Auriez-vous quelque raison de penser que cette affaire a un rapport avec autre chose ?

— Pas pour le moment. Mais, voyez-vous, l'hôtel *Bertram* me semble trop beau pour être vrai.

Ils sortirent, Campbell très élégant dans un complet bien coupé tandis que Father, vêtu de tweed, semblait arriver de la campagne. Ils formaient une bonne équipe.

En les voyant entrer dans le hall de l'hôtel, Miss Gorringe devina tout de suite qui ils étaient. Depuis la disparition du chanoine, elle avait déjà eu affaire à la police et elle se doutait que ces messieurs reviendraient poser des questions supplémentaires.

Quelques mots à l'assistante qui se tenait toujours à sa disposition lui permit de se libérer de ses registres et de recevoir les deux hommes qui approchaient. L'inspecteur Campbell lui montra sa carte et elle hocha la tête. Jetant un coup d'œil par-dessus l'épaule de l'inspecteur, Miss Gorringe remarqua que l'homme vêtu de tweed l'accompagnant, contemplait d'un œil naïf, en apparence, la clientèle étrange installée dans le hall.

— Voulez-vous venir dans le bureau ? proposa Miss Gorringe. Nous y serons peut-être plus à l'aise pour parler.

— Si vous voulez.

— Un endroit charmant, remarqua le gros homme à l'air lourdaud. Et confortable !

Miss Gorringe sourit de plaisir. Elle se tourna vers son assistante pour lui donner des directives.

— Prenez ma place jusqu'à mon retour, Alice. Les registres sont ici. Lady Jocelyn va bientôt arriver. Elle voudra sûrement changer de chambre dès qu'elle verra celle que nous lui avons réservée, mais il vous faudra lui expliquer que nous sommes au complet en ce moment. Si elle insiste, vous pourrez lui montrer le numéro 340, au troisième, et le lui offrir à la place. Ce n'est pas une pièce très agréable et je suis sûre qu'elle sera satisfaite de la chambre que nous lui avons réservée lorsqu'elle verra celle-ci. Et rappelez au colonel Mortimer que ses jumelles sont ici. Il m'a demandé de les lui garder, ce matin. Ne le laissez pas partir sans les lui rendre.

— Non, Miss Gorringe.

Rassurée, la réceptionniste conduisit ses visiteurs à un petit bureau triste où tous trois prirent place.

— La personne disparue est le chanoine Pennyfather, n'est-ce pas ? commença l'inspecteur. J'ai ici le rapport du sergent Wadell, mais peut-être voudriez-vous me raconter comment cela est arrivé ?

— Je ne pense pas qu'on puisse vraiment employer le mot « disparu » en ce qui concerne le chanoine. A mon avis, il aura rencontré un ami et se sera probablement rendu avec lui à une conférence sur le continent. Il est tellement distrait !

— Le connaissez-vous depuis longtemps ?

— Oui. Il vient à cet hôtel depuis au moins cinq ou six ans.

— Vous-même, Madame, il y a longtemps que vous êtes ici ? s'enquit Father, se mêlant à la conversation.

— Presque quatorze ans.

— Un endroit charmant. Le chanoine descendait toujours à cet hôtel lors de ses passages à Londres ?

— Oui. Il retenait sa chambre à l'avance, s'exprimant bien mieux sur papier qu'oralement. Cette fois-ci, il nous avait demandé de lui réserver une chambre du 17 au 21 et bien qu'il dût s'absenter pour une ou deux nuits, il désirait que nous lui conservions sa location durant cette période.

— Quand avez-vous commencé à vous inquiéter à son sujet ? reprit Campbell.

— Je ne me suis pas inquiétée, en vérité. Naturellement, nous avons loué sa chambre à un autre client qui devait arriver le 23 et, lorsque j'ai réalisé alors, ce que je n'avais pas fait auparavant, que le chanoine n'était pas revenu de Lugano.

— Mes notes disent Lucerne, coupa l'inspecteur.

— Oui, en effet, Lucerne, où devait se tenir un congrès. En tout cas, lorsque nous avons dû préparer sa chambre pour notre client suivant, l'honorable Mrs Saunders, de Lyme Regis, qui occupe toujours cette pièce lors de ses séjours chez nous, il nous a fallu prendre une décision. Et puis, la gouvernante du chanoine m'a téléphoné. Elle paraissait inquiète.

— La connaissez-vous ?

— Pas personnellement, mais je lui ai parlé au téléphone à une ou deux reprises. Elle est au service du chanoine depuis longtemps, je crois.

— Ce chanoine est-il toujours aussi étourdi ? questionna Father.

Miss Gorringe ignora la question. Ce lourdaud, un sergent subalterne sans aucun doute, essayait un peu trop de se pousser en avant !

Elle se tourna vers Campbell pour conclure :

— A présent, d'après ce que dit l'archidiacre Simmons, il semblerait que le chanoine ne s'est même pas rendu à ce congrès.

— A-t-il envoyé un message de chez vous pour annoncer qu'il ne pourrait y assister ?

— Non, pas d'ici. Aucun message ou télégramme. Je ne sais absolument rien au sujet de Lucerne. La nouvelle de sa disparition a paru dans les journaux du soir où, heureusement, on ne fait pas allusion à son passage dans notre hôtel et j'espère que la presse n'en parlera pas. Nos clients n'aimeraient pas cela du tout. Si vous pouvez nous éviter cette publicité, inspecteur Campbell, nous vous serions très reconnaissants. Vous comprenez, ce n'est pas comme s'il avait disparu d'ici.

— Ses bagages sont encore chez vous ?

— Oui, dans la pièce réservée aux valises. S'il ne s'est pas rendu à Lucerne, ne peut-on envisager l'éventualité d'un accident ?

— Il ne lui est rien arrivé de la sorte.

— On en vient vraiment à se demander où il a pu aller ?

— D'après ce que vous savez, le chanoine quitta votre hôtel vers seize heures trente, le 19, avec un sac de voyage léger et demanda à un chauffeur de taxi de l'emmener à son club de l'Athenoeum.

— En effet. L'archidiacre m'a confié au téléphone que c'est là le dernier endroit où il a été aperçu.

Miss Gorringe appuya sur ces derniers mots.

— Ainsi, il partit en taxi, reprit Father, et ne reparut point dans cette maison.

— C'est cela. Vous voyez que je ne puis rien vous apprendre de plus.

Ce disant, Miss Gorringe se leva, souhaitant retourner à son travail.

— Si, vous, vous ne savez rien de plus, insista Father, peut-être que quelqu'un d'autre pourrait nous être utile ?

— Quelqu'un d'autre ?

— Un employé de l'hôtel, par exemple ?

— Je ne pense pas, car on me rapporte chaque détail important de la vie du *Bertram*.

— Mais sans doute ne vous met-on pas au courant de détails jugés insignifiants ?

— Quelle sorte de détails ?

— Un mot lâché par hasard et qui pourrait nous fournir un indice. Quelque chose comme : « Ce soir, je vais voir un ami que je n'ai pas revu depuis notre rencontre en Arizona. » Ou bien : « La semaine prochaine je dois aller assister à la confirmation d'une de mes nièces. » Quand on a affaire à des étourdis, de tels commentaires signifient beaucoup. Peut-être qu'après son souper à l'Athenoeum, il s'est soudain rappelé une nièce, à la confirmation de laquelle il devait assister le lendemain ?

— Je doute qu'il ait pu commettre une telle erreur, répliqua Miss Gorringe, incertaine.

— On ne sait jamais. Il y a aussi les clients de votre hôtel. Si le chanoine venait souvent ici, il devait connaître certains d'entre eux.

— Oui, en effet. Je l'ai vu parler à... lady Selina Hazy et aussi à l'évêque de Norwick qui fut son camarade d'université à Oxford. Il connaît aussi Mrs Jameson et ses filles qui viennent de la même région que lui.

— Vous voyez ? lança triomphalement Father. Y a-t-il encore une de ces personnes ici ?

— Non, mais je pense que le général Radley qui le connaît aussi fort bien n'est pas encore parti. Et il y a également une vieille lady qui arrive de la campagne : Miss Marple ; je crois me souvenir qu'elle lui parlait à l'occasion.

— Nous pourrions toujours commencer par ces deux-là. Il a peut-être aussi bavardé avec la domestique qui s'occupait de sa chambre ?

— Elle a déjà été interrogée par le sergent Wadell !

— Il se peut qu'il ait omis de la questionner sur ce point. Nous pourrions voir, au passage, le garçon de table qui le servait ou le maître d'hôtel.

— Il y a Henry, bien sûr.

— Qui est Henry ? demanda distraitement Father.

Miss Gorringe eut l'air presque choquée. Il lui semblait inconcevable qu'on ne connût pas Henry.

— Henry est ici depuis plus longtemps que moi. Vous avez dû le remarquer qui servait le thé.

— En effet. Un personnage de très bonne apparence.

— Je ne sais ce que nous deviendrions sans lui, avoua Miss Gorringe émue. Il est vraiment merveilleux. C'est lui qui donne à cet endroit l'atmosphère souhaitée.

— Peut-être accepterait-il de me servir du thé ? suggéra le chef inspecteur Davy. J'ai vu qu'il portait un plateau de muffins. Il y a longtemps que je n'en ai pas goûté.

— Certainement, répondit froidement Miss Gorringe qui se tourna vers l'inspecteur Campbell. Demanderais-je qu'on vous serve dans le hall ?

— Ce serait...

Campbell s'interrompit à l'entrée de Mr Humfries qui, surpris, regarda Miss Gorringe en levant les sourcils.

Elle expliqua :

— Ces deux gentlemen sont de Scotland Yard, Mr Humfries.

— Détective-inspecteur Campbell, se présenta l'inspecteur.

— Oh ! oui, en effet. Vous venez pour l'affaire du chanoine, je suppose ? Une histoire assez extraordinaire. J'espère qu'il ne lui est rien arrivé de fâcheux à ce pauvre cher homme.

— Je l'espère aussi, appuya Miss Gorringe en écho. Un si charmant vieillard.

— Un de la vieille école, reprit Humfries.

— Vous semblez héberger une sélection de gens de cette qualité, remarqua Campbell en souriant.

— En effet. On pourrait dire que nous sommes des survivants d'une époque disparue.

— Nous avons nos clients fidèles, renchérit fièrement Miss Gorringe. Ils descendent chez nous chaque année. Beaucoup d'Américains de Boston, de Washington, ont appris à aimer le *Bertram*.

— Notre atmosphère anglaise leur plaît, expliqua Mr Humfries en montrant ses dents blanches.

Le chef inspecteur Davy le regarda pensivement.

Campbell revint à la charge :

— Vous êtes sûrs que le chanoine n'a envoyé aucun message pouvant expliquer son absence ?

— Tout message m'est communiqué, répondit sèchement Miss Gorringe. Je vous affirme que nous ignorons tout de ce qu'il est advenu du chanoine.

— Nous avons d'ailleurs déjà répondu à toutes ces questions lorsque votre sergent est venu, appuya Humfries, légèrement irrité.

— En effet, mais il serait cependant bon que nous interrogions le général Radley et Miss Marple qui nous apprendront peut-être un détail important. Cette affaire commence à devenir plus qu'un simple cas d'étourderie de la part d'un ecclésiastique âgé.

— Je puis arranger une rencontre avec ces deux personnes ? proposa Humfries. Le général est très sourd et...

— Il vaut mieux ne pas rendre notre interrogatoire trop solennel. Cela inquiéterait vos clients. Veuillez seulement nous montrer ces deux personnes, nous saurons être discrets.

— Pendant ce temps, proposa Father, je pourrais aller rendre une petite visite à la femme de chambre et voir si je puis apprendre quelque chose de ce côté.

Humfries jeta un coup d'œil à sa montre.

— Elle sera de service à six heures. Vous la trouverez au deuxième étage. En attendant, peut-être prendrez-vous une tasse de thé ?

Ils quittèrent le bureau. Dans le couloir, Miss Gorringe remarqua :

— Le général Radley est dans le fumoir. Il doit être assis près du feu et est probablement endormi en ce moment. Etes-vous sûr qu'il ne vaudrait pas mieux...

— Non, je m'en occuperai, coupa Father. Et la vieille lady ?

— Elle est assise près du feu.

— C'est cette personne avec les cheveux ébouriffés en train de tricoter ? On dirait un personnage de théâtre. Elle pourrait jouer le rôle de la grand-mère universelle.

— Les grand-mères ne sont plus ainsi, à présent, précisa Miss Gorringe. La marquise de Barlowe qui est arrivée hier est arrière-grand-mère et je vous assure que même si sa silhouette est le résultat de nombreux artifices, elle n'en est pas moins merveilleuse.

— Je préfère les grand-mères à l'ancienne mode, rétorqua Father qui se tourna vers Campbell pour déclarer : Je vais m'occuper de ces personnes car il me semble me rappeler que vous avez un rendez-vous important, Sir ?

— D'accord, accepta l'inspecteur, jouant son rôle.

Il s'éloigna et Miss Gorringe, qui retournait à son poste, fut arrêtée au passage par Humfries.

— Miss Gorringe, veuillez venir dans mon bureau un instant.

L'employée le suivit et referma la porte derrière elle.

Humfries marchait de long en large. Il l'interrogea brusquement :

— Pourquoi donc veulent-ils voir Rose ? Wadell a déjà posé toutes les questions nécessaires.

— Simple routine, je suppose.

— Vous feriez bien de lui parler avant qu'elle ne les voie.

— Mais sûrement, l'inspecteur Campbell...

— Campbell ne me gêne pas, c'est l'autre. Savez-vous qui il est ?

— Il n'a pas donné son nom. Ce doit être un simple sergent. Il a plutôt l'air campagnard.

— Campagnard, mon œil ! répondit Humfries, abandonnant ses belles manières. C'est le chef inspecteur Davy qui passe pour un des plus fins limiers de Scotland Yard. Je me demande ce qu'il fait ici, à vouloir fourrer son nez partout, en affichant cet air jovial. Je n'aime pas cela du tout.

— Vous ne pensez pas...

— Je ne sais que penser, mais je n'aime pas cela. A-t-il demandé à voir quelqu'un d'autre en dehors de Rose ?

— Henry, je crois.

Mr Humfries éclata de rire et Miss Gorringe rit à son tour.

— Nous n'avons pas à nous inquiéter à ce sujet.

— Je ne pense pas.

— Pas plus que pour les deux clients. Je lui souhaite de s'amuser avec le vieux Radley qui est sourd comme un pot. Il lui faudra crier à tue-tête pour ne rien obtenir d'intéressant. Il n'apprendra rien de plus de cette vieille poule, Miss Marple. Mais ça ne me plaît cependant pas de voir ce Davy dans les parages.

CHAPITRE XIV

A la porte, Davy rattrapa Campbell auquel il confia d'un air soucieux :

— Cet Humfries ne me revient pas beaucoup.

— Vous pensez que c'est un personnage louche ?

— Je ne sais pas, mais il est trop mielleux pour être sincère. Je me demande s'il est le propriétaire ou le gérant de cet hôtel ?

— Je vais m'en informer, si vous le désirez ?

— Discrètement, alors.

— Que croyez-vous, Sir ?

— Rien encore, mais j'aimerais apprendre plus de détails sur cet hôtel. Je voudrais savoir qui le finance, par exemple, et qui le dirige ?

— Le *Bertram* a la meilleure réputation dans tout Londres.

— Je sais, je sais. Mais quelle aubaine de posséder une telle réputation !

Campbell hocha la tête et partit. Father se rendit dans le fumoir où le général Radley se réveillait. Un

journal venait de glisser de ses genoux. Father le
ramassa et le tendit au vieux monsieur.

— Merci. Très aimable à vous.

— Général Radley ?

— Oui.

— Pardonnez-moi de vous déranger. (Father
haussa le ton.) Je voudrais vous parler au sujet du
chanoine Pennyfather.

— Eh ? Qu'est-ce que c'est ?

Le général porta la main à son oreille.

— Chanoine Pennyfather.

— Mon père ? Il est mort depuis longtemps.

— Chanoine Penny... father.

— Oh ! Et alors ? Je l'ai vu ici l'autre jour.

— Il devait me donner une adresse. Il m'a dit qu'il
vous l'avait laissée.

Davy dut répéter plusieurs fois avant de se faire
comprendre.

— Il ne m'a jamais donné d'adresse. Il a dû se
tromper de personne. Un vieux fou à l'esprit confus.
Il a toujours été ainsi. Un type calé, mais du genre
étourdi.

Father réalisa qu'une conversation avec le général
était pratiquement impossible. Il abandonna et alla
s'asseoir dans le hall à une table voisine de celle de
Miss Marple.

— Du thé, Monsieur ?

Father leva les yeux. Comme tout le monde, il fut
impressionné par l'attitude d'Henry.

Le chef inspecteur commanda du thé et des muffins. Henry fit signe à l'un de ses garçons et
s'écarta.

« Etrange bonhomme, pensa Father. Il doit gagner

une fortune et la mériter. Où donc avaient-ils pu trouver ce type-là ? Il observa le maître d'hôtel qui se penchait aimablement vers une vieille lady. A quoi pensait Henry, s'il pensait ? »

Le thé et les muffins arrivèrent. Father dégusta les gâteaux avec plaisir et but deux tasses d'un thé très fort. Ayant terminé, il se pencha vers la lady assise à la table voisine.

— Excusez-moi. N'êtes-vous pas Miss Marple ?

La vieille demoiselle leva les yeux de son tricot.

— Je suis Miss Marple, en effet.

— J'espère que cela ne vous dérange pas que je vous interpelle ainsi. Je suis officier de police.

— Vraiment ? J'espère que rien de grave n'est arrivé ?

— Ne vous inquiétez pas, Miss Marple. Il ne s'agit pas d'un cambriolage ou d'une infraction de ce genre. J'enquête au sujet d'un ecclésiastique étourdi qui nous pose un petit problème. Je crois qu'il est de vos amis ? Le chanoine Pennyfather.

— Le chanoine Pennyfather ? Je le connais assez bien depuis plusieurs années. Comme vous dites, il est très étourdi. Qu'a-t-il encore fait ?

— Eh bien ! si vous me permettez l'expression, il s'est en quelque sorte volatilisé.

— Mon Dieu ! Et où devrait-il être ?

— Chez lui.

— Il m'a confié qu'il se rendait à un congrès à Lucerne où l'on étudiait des parchemins concernant la mer Morte. Il est un érudit de qualité, vous savez ?

— Vous avez raison. Il devait se rendre à Lucerne.

— Dois-je comprendre qu'il n'y est pas allé ?

— Exactement.

— Il se sera probablement trompé de date.

— Très probable.

— J'ai bien peur que ce ne soit pas la première fois que cela lui arrive. Je me souviens qu'un jour il m'avait invitée à prendre le thé chez lui et qu'il ne s'y trouvait pas. Sa gouvernante m'a dit alors combien il était distrait.

— Lorsqu'il se trouvait à l'hôtel, il ne vous a rien appris qui pourrait expliquer sa disparition ? Quelque allusion à une rencontre qui aurait pu lui faire oublier le congrès ?

— Non. Il m'a seulement parlé de ce congrès qui avait lieu le 19, n'est-ce pas ?

— Oui.

— Je n'ai pas prêté grande attention à la date. Je veux dire... (Comme toutes les vieilles personnes, Miss Marple s'embrouillait un peu.) Je pense qu'il a dit le 19, mais il a pu vouloir dire le 20. Il a pu aussi penser que le 19 était le 20 ou que le 20 était le 19.

— Je ne vois pas...

— Je m'explique mal. Des personnes comme le chanoine peuvent assurer qu'elles vont quelque part un jeudi alors qu'elles pensent, en fait, à un mercredi ou à un vendredi. Elles s'en aperçoivent parfois à temps, mais je pense que le chanoine a pu confondre.

— Vous parlez comme si vous saviez, avant que je ne vous l'apprenne, que le chanoine ne s'est pas rendu à Lucerne.

— Je sais qu'il n'était pas à Lucerne le jeudi, car il est resté au *Bertram* toute la journée, ou presque. Je

puis vous assurer, en tout cas, qu'il a quitté l'hôtel
jeudi soir, en portant un sac de voyage B.E.A.

— C'est vrai.

— J'ai cru comprendre qu'il gagnait l'aéroport et
c'est pourquoi j'ai été très surprise de le voir de
nouveau à l'hôtel plus tard.

— Je vous demande pardon ? Qu'attendez-vous
par « plus tard » ?

— Voyons... Il était environ trois heures du matin.
Je ne pouvais pas dormir. Quelque chose me réveilla,
un bruit quelconque, probablement. J'ai regardé mon
réveil. Je me sentais mal à l'aise... quelqu'un était
peut-être passé dans le couloir. Je me suis levée et ai
ouvert ma porte pour jeter un coup d'œil à l'extérieur. J'ai vu le chanoine Pennyfather quitter sa
chambre, elle est voisine de la mienne, et s'engager
dans l'escalier. Il portait son pardessus.

— Il est sorti à trois heures du matin ?

— Oui. Sur le moment, j'ai trouvé cela bizarre.

Le chef inspecteur contempla la vieille demoiselle
et demanda, après un long silence :

— Miss Marple, pourquoi n'avez-vous pas appris
cela à quelqu'un ?

— Parce que personne ne me l'a demandé !

CHAPITRE XV

Davy prit une large inspiration.

— Je suppose, en effet, que personne ne vous l'a demandé. Aussi simple que cela.

Il se plongea dans ses réflexions.

— Vous pensez que quelque chose lui est arrivé, n'est-ce pas ?

— Il y a maintenant plus d'une semaine qu'il a disparu. Il n'a pas eu d'accident, car les hôpitaux nous auraient prévenus. Où est-il ? La presse a signalé sa disparition, mais nous n'avons encore aucune information. Il semblerait vraiment qu'il ait voulu fuir. Quitter cet hôtel et, de cette façon, au milieu de la nuit... Vous êtes absolument sûre de l'avoir vu ? Vous ne l'avez pas rêvé ?

— J'en suis absolument certaine.

Father se leva.

— Je ferais bien d'aller voir cette femme de chambre maintenant.

Il trouva Rose Sheldon à son travail et lui jeta un coup d'œil appréciateur.

— Désolé de vous déranger, s'excusa-t-il. Je sais que vous avez déjà répondu aux questions de notre sergent, mais je voudrais avoir encore quelques détails sur le gentleman qui a disparu. Le chanoine Pennyfather.

— Oui, Monsieur. Un très aimable gentleman. Il vient souvent à cet hôtel.

— Un étourdi, je crois ?

Rose sourit discrètement sans rien perdre de son air compassé.

Father feignit de consulter ses notes, puis commença :

— La dernière fois que vous l'avez vu, c'était le...

— Le jeudi 19, Monsieur, dans la matinée. Il m'a annoncé qu'il serait absent la nuit suivante et probablement le lendemain aussi. Il allait à Genève ou quelque part en Suisse. Il m'a donné deux chemises à laver et je lui ai assuré qu'elles seraient prêtes pour son retour.

— Et c'est la dernière fois que vous l'avez aperçu ?

— Oui, Monsieur. Je ne suis pas de service l'après-midi, seulement à partir de six heures. A cette heure-là, il devait être parti ou se trouver au rez-de-chaussée. Il avait laissé deux valises dans sa chambre.

— Je sais. (Les deux valises avaient été examinées sans révéler le moindre indice.) Etes-vous venue le voir le lendemain matin ?

— Venue le voir ? Non, puisqu'il était en voyage.

— Que faites-vous d'habitude ? Vous lui apportez du thé ou un petit déjeuner ?

— Seulement du thé. Il prenait toujours son breakfast en bas.

— Vous ne vous êtes donc pas rendue dans sa chambre de la journée ?

— Oh ! si, Monsieur. (Elle parut choquée.) Je suis allée dans sa chambre porter ses chemises et épousseter la pièce. Nous nettoyons les chambres chaque jour.

— Le lit était-il défait ?

Elle le regarda semblant ne pas comprendre.

— Le lit ? Mais non, Monsieur.

— Avez-vous eu l'impression que quelqu'un s'était assis dessus ?

Elle hocha négativement la tête.

— Et la salle de bains ?

— Il y avait une serviette de toilette humide. Le chanoine s'est peut-être lavé les mains avant de partir.

— Et il n'y avait rien dans la pièce qui permît de penser qu'il était peut-être revenu plus tard... même très tard ?

Elle le regarda, ahurie. Father ouvrit la bouche pour parler, mais se retint. Ou bien cette fille ignorait tout ou bien elle était une comédienne accomplie.

— Et à propos de ses vêtements... ses costumes ? Etaient-ils rangés dans ses valises ?

— Non, ils étaient accrochés dans la penderie, car il avait loué la chambre pour quelques jours.

— Qui a rangé ses vêtements ?

— Miss Gorringe a donné des ordres. Au moment où la nouvelle lady devait prendre la chambre.

Une explication plausible. Mais Miss Marple l'avait vu quitter sa chambre le jeudi à trois heures

du matin. Il avait dû revenir à l'hôtel sans que
personne ne le remarque. Aurait-il, pour quelque
raison, voulu éviter de rencontrer qui que ce fût ? Il
n'avait laissé aucune trace de son passage dans sa
chambre. Miss Marple aurait-elle rêvé ? A son âge,
c'était bien possible.

Une idée traversa brusquement l'esprit du policier.

— Et son sac de voyage ?

— Je vous demande pardon, Monsieur ?

— Un petit sac bleu foncé... B.E.A. ou B.O.A.C. ?
Vous l'avez sûrement remarqué ?

— Heu... oui, en effet... Mais il l'a emporté avec
lui.

— Pourtant il n'a pas voyagé. Il n'est jamais allé
en Suisse. Il a donc dû l'abandonner quelque part ou
alors, il est revenu et l'a laissé avec ses affaires.

— Oui, oui. Je ne suis pas très sûre... J'imagine
que c'est ce qu'il a dû faire.

Immédiatement, Father pensa : *Ils ne vous ont pas
donné de consignes, à ce sujet, hein ?*

Jusqu'à présent, Rose Sheldon avait répondu
calmement aux questions du policier, mais cette dernière attaque la troublait. Elle n'avait pas su que
dire.

Mais elle aurait dû savoir... ?

Le chanoine avait emporté son sac à l'aéroport et
s'il était revenu au *Bertram,* le sac devait l'accompagner.

*Mais Miss Marple n'en avait pas parlé lorsqu'elle
raconta le départ de Pennyfather.*

Le sac fut probablement trouvé dans la chambre,

mais on ne l'avait pas joint aux autres bagages.
Pourquoi ?

*Parce que le chanoine était supposé se trouver en
Suisse.*

Davy remercia Rose et redescendit les escaliers.

Le chanoine Pennyfather... Une énigme. Il parlait
d'abord de se rendre en Suisse, embrouillait tout, si
bien qu'il ne s'y rendait pas, revenait à son hôtel sans
se faire remarquer et en ressortait au petit jour...
Pour aller où ? L'étourderie pouvait-elle être poussée
si loin ? Sinon, que manigançait le chanoine ? Où se
trouvait-il ?

Du premier palier, le chef inspecteur contempla
avec envie les clients intallés dans le hall et se
demanda si l'un d'entre eux était vraiment ce qu'il
paraissait être. Gens âgés ou d'entre deux âges, de
charmants personnages vieux jeu, tous cossus, haute-
ment respectables : d'anciens officiers, des avocats,
des ecclésiastiques, un couple d'Américains près de la
porte, une famille française près du feu. Personne de
trop voyant ou de déplacé. Pouvait-il y avoir vraiment quelque chose qui clochait dans un hôtel où
l'on servait le thé à la mode ancienne ?

Le Français émit une remarque qui venait à propos.

— *Le « Five o'clock tea. » C'est bien anglais, ça,
n'est-ce pas* (1) ?

Ce disant, il regardait autour de lui avec grand
intérêt.

Le « Five o'clock », pensa Father en poussant les

---

(1) En français dans le texte.

portes battantes donnant sur la rue, est vieux comme
Hérode !

Aux pieds des escaliers, des valises étaient chargées
sur un taxi. Mr et Mrs Elmer Cabot se mettaient en
route pour l'hôtel *Vendôme*, à Paris. Mrs Cabot
exposait son point de vue à son mari :

— Les Pendlebury avaient raison au sujet de cet
hôtel, Elmer. C'est tout à fait la vieille Angleterre.
J'ai l'impression qu'Edouard VII en personne pourrait y entrer et y prendre son thé. J'ai vraiment envie
de revenir ici l'année prochaine... vraiment.

— Si nous avons quelques milliers de dollars à
gaspiller, répondit vertement son mari.

— Voyons, Elmer, ce n'était pas si terrible que
ça !

Le grand portier aida le couple à prendre place
dans le véhicule qui s'éloigna bientôt. Il s'approcha
alors de Father.

— Taxi, Sir ?

Le chef inspecteur se tourna vers lui et le jugea
d'un coup d'œil. Plus de six pieds. Bel homme, un
peu monté en graine cependant. Vieux militaire. Médailles sûrement gagnées au service. Le regard
fuyant : il devait trop boire.

— Vous êtes un ancien soldat ?

— Oui, Sir. La garde irlandaise.

— Vous avez la médaille militaire. Où l'avez-vous
obtenue ?

— En Birmanie, Sir.

— Comment vous appelez-vous ?

— Michael Gorman.

— Le travail vous plaît, ici ?

— Oui. C'est un endroit calme.

— Ne préféreriez-vous pas le *Hilton* ?

— Non. Les clients sont tous gentils et il y a beaucoup de fervents des courses qui me donnent parfois un bon tuyau.

— Vous aimez parier ?

— Que serait la vie sans le jeu ?

— Calme et ennuyeuse, comme la mienne.

— Vraiment, Sir ?

— Savez-vous quelle est ma profession ?

L'Irlandais grimaça un sourire espiègle.

— Aucune offense, Sir, mais je dirais que vous êtes un policier.

— Juste. Vous vous souvenez du chanoine Penny-father ?

— Le chanoine Pennyfather ? Il ne me semble pas, non.

— Un ecclésiastique âgé.

— Vous savez, ici, on voit beaucoup d'ecclésiastiques.

— Je veux parler de celui qui a disparu.

— Oh ! celui-là !

— Vous le connaissez ?

— Je me le rappelle seulement à cause de toutes les questions qu'on m'a posées à son sujet. Tout ce que je sais, c'est que je l'ai installé dans un taxi et qu'il est parti pour l'Athenoeum. Je ne l'ai pas revu depuis. Quelqu'un m'a dit qu'il était allé en Suisse, mais j'ai entendu raconter ensuite qu'il n'y est jamais arrivé. Il semblerait qu'il se soit perdu.

— Vous ne l'avez pas revu un peu plus tard, ce jour-là ?

— Plus tard... ? Non.

— A quelle heure terminez-vous votre travail ?

— A onze heures trente, Sir.

Le chef inspecteur hocha la tête, refusa un taxi et s'éloigna le long de Pond Street. Une voiture le doubla à toute allure et s'arrêta devant le *Bertram* dans un grincement de freins. Machinalement, le policier tourna la tête et lut le numéro matricule : FAN 2266. Le numéro lui sembla familier sans qu'il sût où il l'avait remarqué auparavant.

Lentement, il revint sur ses pas. Il venait juste d'atteindre l'entrée de l'hôtel, lorsque le chauffeur de la voiture qui avait passé l'entrée un moment plus tôt, apparut au haut des marches. Sa voiture et lui s'accordaient bien. Une automobile de sport, blanche aux lignes effilées, étincelante. Le jeune homme avait la même expression élégante. Un visage agréable et pas un gramme de graisse qui pût alourdir sa silhouette.

Le portier ouvrit la portière, le jeune homme sauta au volant, lança une pièce au garçon et démarra dans un vrombissement puissant.

— Vous savez qui c'est ? demanda le portier au chef inspecteur.

— Un chauffeur dangereux, en tout cas.

— Ladislas Malinowski. Il a gagné le Grand Prix, il y a deux ans... Il était champion du monde. Il a eu un grave accident l'année dernière, mais il paraît tout à fait remis à présent.

— Ne me dites pas qu'il est descendu au *Bertram*. Ce serait plutôt surprenant de sa part.

— Non, il n'est pas à l'hôtel. Mais une de ses amies...

Il eut un clin d'œil complice.

Un garçon, vêtu d'un tablier à rayures, apparut chargé de valises américaines de luxe.

Father regarda les bagages qu'on hissait sur une Daimler, tout en essayant de se souvenir de ce qu'il savait sur Ladislas Malinowski. Un jeune homme téméraire, qui était réputé avoir une histoire sentimentale avec une femme célèbre, comment s'appelait-elle donc ? Les yeux fixés sur une large valise, il s'éloigna lentement, mais se retourna soudain et pénétra de nouveau dans le hall de l'hôtel.

Il se dirigea vers la réception et demanda le registre des arrivants à Miss Gorringe qui, occupée, lui passa ce qu'il demandait sans s'attarder près de lui. Il tourna les pages. Lady Selina Hazy, Petit Cattage, Merryfield Hants. Mr et Mrs Hennessey, King Elderberries, Essex. Sir John Woodstock, 5, Beaumont Crescent, Cheltenham. Lady Sedgwick, Hurstings, Northumberland. Mr et Mrs Elmer Cabot, Connecticut. Général Radley, 14, The Green, Chichester. Mr et Mrs Woolmer Pickington, Marble Head, Connecticut. La comtesse de Beauville, Les Sapins, Saint-Germain-en-Laye. Miss Jane Marple, St. Mary Mead, Much Benham. Colonel Luscombe, Little Green. Mrs Carpenter, l'honorable Elvira Blake, chanoine Pennyfather, le Clos, Chadminster. Mrs Holding, Miss Holding, Miss Audrey Holding, Le Manoir, Carmanton, Mr et Mrs Ryesville, Valley Forge, Pennsylvanie. Le duc de Barnstable, Doone Castle, N. Devon. Un échantillon du genre de clientèle qui descendait au *Bertram*. Ils formaient, pensa-t-il, une sorte de toile de fond.

Alors qu'il refermait le livre, un nom inscrit sur

une page précédente, attira son attention : Sir William Ludgrove.

Mr Justice Ludgrove qui avait été reconnu par un officier de service, non loin de la scène où avait eu lieu le hold-up d'une banque, Mr Justice Ludgrove... chanoine Pennyfather... deux clients du *Bertram*.

— J'espère que vous avez aimé votre thé, Sir ?

C'était Henry, debout près de lui. Il s'exprimait avec une courtoisie raffinée et la légère anxiété de l'hôte parfait.

— Le meilleur thé que j'aie bu depuis des années, répondit le chef inspecteur.

Il se souvint qu'il avait oublié de payer et comme il s'apprêtait à s'exécuter, Henry leva une main en un geste désapprobateur.

— Oh ! non, Sir. J'ai cru comprendre que votre thé était offert par la maison. Ordre de Mr Humfries.

Henry s'éloigna. Father resta un moment incertain, se demandant s'il aurait dû donner un pourboire au maître d'hôtel. Il était vexant de penser qu'Henry connaissait la réponse à ce problème social bien mieux que lui !

Alors qu'il cheminait dans la rue, le policier s'arrêta brusquement. Il sortit son carnet et y inscrivit un nom et une adresse... pas de temps à perdre. Il entra dans une cabine téléphonique. Il allait se risquer en terrain inconnu. Advienne que pourra, il se guidait sur un simple soupçon.

CHAPITRE XVI

C'était l'armoire qui troublait le chanoine Pennyfather. Elle hanta un moment son demi-sommeil, mais bientôt il se rendormit. Lorsqu'il rouvrit les yeux, l'armoire se trouvait toujours au mauvais endroit. Le chanoine était allongé, regardant la fenêtre, et l'armoire aurait dû être entre la fenêtre et lui, le long du mur, à sa gauche. Or, elle était à sa droite. Cette anomalie le tourmenta tant que sa tête était douloureuse... mais par-dessus tout, cette armoire déplacée... Il referma les yeux et se rendormit.

Lorsque Pennyfather reprit enfin conscience, il faisait un peu plus jour dans la chambre. On devait être au petit matin.

— Mon Dieu ! s'exclama soudain le chanoine trouvant la réponse au problème de l'armoire. Je ne suis pas chez moi !

Il bougea avec précaution. Ce lit n'était pas le sien non plus. Où donc était-il ? A Londres, bien sûr, au *Bertram*. Et pourtant non... Au *Bertram*, son lit regardait la fenêtre.

— Où suis-je donc ?

Il se souvint soudain qu'il devait se rendre à Lucerne. Il pensa à l'exposé qu'il devrait lire au congrès. L'effort lui fit mal à la tête et il se rendormit.

Lorsqu'il se réveilla, il souffrait moins. La chambre était envahie par la clarté du jour. Il put réfléchir. Il ne se trouvait pas chez lui, pas davantage à l'hôtel *Bertram* et il était presque sûr de ne pas être à Lucerne. L'endroit où il était couché lui parut étrange. Une pièce avec très peu de meubles, une sorte de commode qu'il avait prise pour son armoire et des rideaux fleuris à la fenêtre. Une table, une chaise, rien de plus.

Il voulut se lever pour inspecter les lieux, mais lorsqu'il s'assit sur le lit, son mal de tête le reprit et il fut obligé de se rallonger.

— J'ai dû être malade, conclut-il. Certainement. J'ai peut-être la grippe. Il paraît que cela prend brusquement. Cela m'est peut-être arrivé après que j'aie eu dîné à l'Athenoeum.

Il se souvenait avoir dîné à son club.

Il entendit des allées et venues dans le couloir. On l'avait peut-être emmené dans une maison de repos ? Non... ce ne devait pas être une maison de repos. La chambre que révélait la lumière du jour avait l'apparence d'une petite pièce aux meubles usés.

D'en bas, une voix cria :

— Au revoir, mon mignon ! Il y aura des saucisses et de la purée, ce soir.

Le chanoine réalisa alors qu'il avait faim.

La porte s'ouvrit, une femme entre deux âges s'avança jusqu'à la fenêtre dont elle tira les rideaux et se tourna vers le lit.

— Ah ! vous êtes réveillé. Comment vous sentez-vous ?

— Je n'en sais trop rien.

— Pas surprenant. Vous n'étiez pas en bon état, vous savez ! Quelque chose vous a cogné assez fort. Ces maudits automobilistes ne s'arrêtent même pas après vous avoir renversé !

— Ai-je eu un accident ?

— Oui. Nous vous avons trouvé sur le bord de la route en revenant chez nous. Nous avons d'abord pensé que vous étiez ivre.

Elle eut un rire étouffé à ce souvenir.

— En vous examinant, mon mari a découvert que vous aviez une bosse sur le crâne. Comme on ne pouvait pas vous laisser sur le bord de la route, on vous a emmené ici, chez nous.

— Ah ! s'exclama le chanoine à l'énoncé de cette aventure, de bons Samaritains !

Il hocha faiblement la tête en souriant.

— Mon époux n'a pas voulu appeler la police, car étant un ecclésiastique, vous n'auriez peut-être pas aimé cela. Le docteur est venu vous examiner et nous a recommandé de bien vous nourrir en vous gardant dans l'obscurité à cause de votre crâne qui a reçu un choc. Que diriez-vous d'un bon bol de soupe, à présent, et de pain dans du lait ?

— L'un ou l'autre, répondit faiblement Pennyfather, serait le bienvenu.

Il se détendit sur ses oreillers. Un accident... c'était donc cela. Il avait eu un accident et ne se souvenait de rien.

Quelques minutes plus tard, la bonne femme

revint, portant un plateau où fumait un bol de soupe.

— Vous vous sentirez mieux après. J'aurais voulu y ajouter une goutte de whisky ou de cognac, mais le docteur l'a défendu pour le moment.

— Je le comprends. Ce n'est pas bon pour une commotion cérébrale.

— Je vais mettre un autre oreiller derrière vous, mon mignon. Là... N'est-ce pas mieux ?

Le chanoine fut un peu étonné de s'entendre appeler « mignon ». Il se consola en pensant que cela partait d'un bon sentiment.

— Où suis-je ? s'enquit l'ecclésiastique. Comment s'appelle cet endroit ?

— Milton St John.

— Milton St. John ? Jamais entendu ce nom.

— Ce n'est qu'un petit village.

— Puis-je vous demander votre nom ?

— Mrs Wheeling. Emma Wheeling.

— Vous êtes très aimable. Mais cet accident... Je n'arrive pas à me rappeler...

— Oubliez-le pour le moment, mon cœur, et lorsque vous serez mieux, ça vous reviendra.

— Milton St. John, se répéta le chanoine. Ce nom ne me dit vraiment rien du tout.

CHAPITRE XVII

Sir Ronald Graves, en train d'esquisser une silhouette de chat sur son buvard, leva les yeux vers le chef inspecteur Davy, assis face à sa table, et dessina un bouledogue.

— Ladislas Malinowski ? prononça-t-il. Possible... Avez-vous quelque preuve ?

— Non. Il cadrerait bien dans le tableau cependant.

— Un casse-cou. Pas de nerfs. Champion du monde. Accident grave il y a à peu près un an. Mauvaise réputation auprès des femmes. Sources de revenus douteuses. Dépense largement ici et à l'étranger. Va et vient constamment sur le Continent. Supposeriez-vous qu'il soit l'homme qui dirige ces vols et hold-up si bien organisés ?

— Non, mais je crois qu'il est dans le coup.

— Pourquoi ?

— Parce qu'il conduit une Mercedes-Otto modèle de course. Une voiture répondant à cette description a été vue près de Bedhampton le matin suivant le vol du train courrier. Son numéro matricule était différent... mais nous sommes habitués à ces truquages. Et c'est presque le même numéro... FAN 2299 au lieu de FAN 2266. Il n'y a pas beaucoup de voitures de cette sorte en circulation. Lady Sedgwick a la même et le jeune lord Merrivale.

— Tout de même, vous ne pensez pas que Malinowski soit à la tête de cette organisation ?

— Non... Je présume que des cerveaux plus brillants que le sien dirigent cette entreprise. Mais il en fait partie, je vous le répète. J'ai vérifié les dossiers. Prenez, par exemple, le hold-up de la banque Midland et West London. Trois camionnettes bloquèrent par hasard... seulement par hasard... une certaine rue. Une Mercedes-Otto, qui se trouvait sur le lieu de la scène, réussit à en disparaître, grâce à cet embouteillage.

— Elle fut arrêtée plus tard.

— Oui, et lavée de tout soupçon. Principalement, parce que les témoins qui l'avaient aperçue n'étaient pas sûrs du bon numéro. Ils pensaient qu'il s'agissait du numéro FAN 3366... Le numéro matricule de Malinowski est FAN 2266...

— Et vous persistez à mêler le *Bertram* à l'affaire ? A propos, on est en train de rechercher des renseignements sur cet hôtel, pour vous...

Father tapota sa poche.

— Je les ai. Tout est en ordre. Balance... capital payé... directeurs, etc., etc. Ça ne veut rien dire du tout ! Ces trucs financiers sont tous les mêmes. Un nœud de vipères... qui s'avalent les unes les autres.

Compagnies et sociétés, de quoi vous donner le vertige !

— Allons, Father, vous exagérez. C'est seulement une politique que suivent les gens de la City, pour échapper aux impôts...

— Ce que je veux, c'est le bon tuyau. Si vous voulez m'en accorder l'autorisation, Sir, j'aimerais aller rendre visite à quelque gros manitou.

— Qui, exactement ?

Father donna un nom.

Son chef parut ennuyé.

— Je ne sais pas si c'est possible. Il nous est probablement très difficile de l'approcher.

— Ça vaut la peine d'essayer.

Les deux hommes se regardèrent un moment en silence. Father demeurait placide et patient. Sir Graves céda.

— Vous êtes un vieux têtu, Fred. Employez donc votre méthode. Allez chatouiller les grosses têtes qui dirigent les finances internationales.

— Celui-là saura, croyez-moi. Et s'il ne sait pas, il pourra le découvrir en pressant simplement un bouton posé sur son bureau.

— Je doute qu'il soit content de vous recevoir.

— Probablement pas. Mais cela ne prendra pas beaucoup de son temps. Seulement, pour arriver jusqu'à lui, il faut que je sois aidé.

— Vous êtes vraiment sérieux au sujet de cet hôtel *Bertram*, n'est-ce pas ? Mais sur quoi vous basez-vous ? Il est bien tenu, a une bonne clientèle, aucun ennui avec les heures de fermeture des bars...

— Je sais, je sais. Pas de boissons alcoolisées, pas de drogues, pas de jeux clandestins, pas de cachette

pour un criminel. Pur comme la neige qui tombe.
Cependant, un respectable chanoine est aperçu quittant l'endroit à trois heures du matin d'une manière
assez louche...

— Qui a vu cela ?

— Une vieille lady.

— Comment a-t-elle fait pour le surprendre ?
Pourquoi n'était-elle pas au lit en train de dormir ?

— Les vieilles ladies sont ainsi, Sir.

— Vous ne faites pas allusion à, comment
s'appelle-t-il, le chanoine Pennyfather ?

— Si, sa disparition a été signalée et Campbell a
commencé une enquête.

— Curieuse coïncidence... son nom vient juste
d'être cité à propos du vol dans le train courrier, à
Bedhampton.

— Vraiment ? Et de quelle manière, Sir ?

— Une autre vieille lady... Lorsque le train
s'arrêta au signal qui avait été arrangé, un bon
nombre de passagers se réveillèrent et sortirent dans
les couloirs. Cette femme, qui habite Chadminster et
connaît le chanoine de vue, raconta qu'elle l'avait
aperçu grimpant dans le train. Elle pensa qu'il était
allé sur la voie pour se rendre compte de ce qu'il se
passait, et qu'il s'apprêtait juste à remonter dans son
compartiment. Nous avons trouvé le fait intéressant,
surtout lorsque la disparition de cet ecclésiastique
nous fut révélée quelques jours plus tard.

— Voyons... le train a été arrêté à cinq heures
trente du matin. Le chanoine Pennyfather a quitté le
Bertram peu après trois heures. Oui, ce serait possible. Si on le conduisait jusqu'au train... disons...
dans une voiture de course... ?

— Nous en revenons donc à Ladislas Malinowski !

Sir Ronald Graves regarda ses crayonnages sur son buvard et remarqua pensivement :

— Quel bouledogue vous êtes, Fred !

Une demi-heure plus tard, le chef inspecteur Davy pénétrait dans un bureau silencieux et d'apparence plutôt pauvre.

L'homme, assis derrière sa table de travail, se leva et tendit la main.

— Chef inspecteur Davy ? Asseyez-vous, je vous prie. Voulez-vous un cigare ?

Davy refusa.

— Veuillez m'excuser de vous faire perdre votre temps si précieux.

Mr Robinson sourit. C'était un homme d'apparence lourde, mal habillé. Il avait un visage au teint jaune, l'œil sombre et triste, la bouche généreuse. Il souriait souvent, montrant ses dents blanches et égales. Son anglais était parfait bien qu'il fût étranger et Father se demanda, comme beaucoup d'autres, de quelle nationalité relevait Mr Robinson.

— Que puis-je pour vous, chef inspecteur ?

— J'aimerais savoir qui est le propriétaire de l'hôtel *Bertram*, Monsieur.

— L'hôtel *Bertram* ? Il se trouve dans Pond Street, je crois, derrière Piccadilly ?

— C'est bien cela, Sir.

— J'y suis descendu, à l'occasion. Un endroit très calme. Bien dirigé.

— Oui, particulièrement bien dirigé.

— Et vous voulez savoir à qui il appartient ? Ce doit être facile à découvrir.

Son sourire masquait une légère ironie.

— Par les moyens courants ? Oh ! oui.

Father sortit de sa poche un morceau de papier sur lequel il lut trois ou quatre noms et adresses.

— Je vois que vos hommes ont fait du bon travail. Intéressant. Et vous venez à moi, pourquoi ?

— Si quelqu'un peut savoir, ce doit être vous, Sir.

— En fait, je l'ignore. Mais il est vrai que j'ai des moyens pour obtenir des informations. On a... (Il haussa ses lourdes épaules.) On a des contacts.

— Bien sûr, Sir.

Le visage de Father ne refléta aucune expression.

Mr Robinson le regarda, puis empoigna le combiné du téléphone posé devant lui.

— Sonia ? Mettez-moi en rapport avec Carlos. (Il attendit une minute ou deux, puis parla à nouveau.) Carlos ?

Il prononça rapidement une demi-douzaine de phrases en une langue étrangère que Father ne connaissait pas.

Father pouvait s'exprimer en un bon français britannique. Il possédait quelques notions d'italien et d'allemand. Il reconnaissait le son de l'espagnol, du russe et de l'arabe. Cette langue n'était aucune d'entre elles. Peut-être du turc, du persan ou de l'arménien.

Mr Robinson replaça le combiné.

— Nous ne devrions pas attendre longtemps. Vous savez que je me suis souvent posé la question au sujet de l'hôtel *Bertram*. On se demande comment il arrive à marcher, financièrement. Vous en avez une idée ?

— Pas encore. Mais j'ai l'intention de le découvrir.

— Il y a plusieurs possibilités. C'est comme pour la musique. Il n'y a qu'un certain nombre de notes sur l'octave et, malgré tout, tant de moyens différents de s'en servir.

La sonnerie du téléphone résonna. Mr Robinson prit le combiné et dit :

— Carlos ? Vous avez été très rapide. Oui... oui... Je vois... Ah ! Amsterdam ? Epelez, voulez-vous ? Parfait.

Il raccrocha, inscrivit un nom sur une feuille de papier qu'il tendit au policier.

— Wilhelm Hoffman, lut Father à haute voix.

— Nationalité suisse, bien que je ne pense pas qu'il soit né en Suisse. Il jouit d'une grande influence dans le trafic bancaire et, quoiqu'il reste dans le droit chemin, il s'est trouvé impliqué dans plusieurs affaires assez douteuses. Il opère exclusivement sur le Continent, pas dans ce pays.

— Ah ?

— Mais il a un frère. Robert Hoffman qui vit à Londres et est diamantaire... une maison des plus respectables. Sa femme est hollandaise. Il a aussi des bureaux à Amsterdam... Vous avez peut-être entendu parler de lui à Scotland Yard ? Comme je vous le disais, il s'occupe surtout de diamants, mais c'est un homme très riche. Il possède pas mal de propriétés qui ne sont pas toutes à son nom. Il est dans nombre d'entreprises. Son frère et lui sont les vrais propriétaires du *Bertram*.

— Je vous remercie, Sir. (Father se leva.) Je n'ai pas besoin de vous dire à quel point je vous suis reconnaissant. C'est merveilleux, ajouta-t-il, montrant un enthousiasme inhabituel.

— C'est là une de mes spécialités : l'information. J'aime bien savoir. C'est pour cela que vous êtes venu me voir, n'est-ce pas ?

— Nous avons entendu parler de vous. Le Home Office, Service spécial et tout le reste. (Il ajouta presque avec naïveté :) Il m'a fallu un peu de nerfs pour oser vous approcher.

Mr Robinson sourit.

— Je vous trouve une personnalité intéressante, chef inspecteur. Je vous souhaite le succès pour ce que vous êtes en train d'entreprendre.

— Merci, Sir. A propos, ces deux frères, diriez-vous que ce sont des hommes violents ?

— Certainement pas. Ce serait tout à fait contraire à leur politique. Les frères Hoffman n'usent pas de brutalités en matière commerciale. Ils ont d'autres méthodes plus efficaces. Chaque année, ils deviennent de plus en plus riches. C'est ce que m'apprennent mes correspondants suisses.

— Un endroit bien utile, la Suisse.

— En effet. Que ferions-nous sans elle ? Nous autres, hommes d'affaires, lui en sommes très reconnaissants.

Le chef inspecteur se retira. En arrivant à son bureau, il trouva une note qui l'attendait :

Le chanoine Pennyfather est réapparu... En forme, bien que muet. Il a été apparemment renversé par une voiture à Milton St. John et souffre de contusions.

CHAPITRE XVIII

Le chanoine Pennyfather regarda alternativement le chef inspecteur Davy, l'inspecteur Campbell, et les deux policiers le regardaient aussi, attendant sa réponse. Le chanoine était de retour chez lui et assis dans son grand fauteuil. Un oreiller sous la nuque, les pieds sur un tabouret et une couverture sur les genoux, accusaient le caractère dramatique de son état.

— J'ai bien peur, assura-t-il poliment, de ne plus me souvenir de rien.

— Vous ne vous rappelez pas l'accident ? Le moment où la voiture vous a heurté ?

— Je crains que non.

— Alors, comment savez-vous qu'une voiture vous a renversé ? demanda vivement l'inspecteur Campbell.

— La femme qui s'occupait de moi... Comment s'appelait-elle donc ? Mrs Wheeling... me l'a appris.

— Comment le savait-elle elle-même ?

Le chanoine parut surpris.

— Mon Dieu ! mais, c'est vrai ! Elle ne pouvait pas le savoir ! Je pense qu'elle a... supposé ?

— Pourquoi vous trouviez-vous à Milton St. John ?

— Je n'en ai pas la moindre idée. Le nom même de cet endroit m'est tout à fait étranger.

L'exaspération de l'inspecteur montait rapidement, mais son chef s'interposa pour s'enquérir d'une voix aimable :

— Répétez-nous, s'il vous plaît, la dernière chose dont vous vous souvenez ?

Le chanoine se tourna vers lui avec soulagement. Le scepticisme de l'inspecteur l'avait mis mal à l'aise.

— Je devais me rendre à Lucerne pour assister à un congrès. J'ai pris un taxi afin de gagner l'aéroport... enfin, l'aérogare de Kensington.

— Oui. Et puis ?

— C'est tout. Je ne me rappelle rien d'autre. Après il y a eu l'armoire.

— Quelle armoire ? grogna Campbell.

— Elle ne se trouvait pas où elle aurait dû se trouver.

L'inspecteur Campbell fut tenté d'approfondir cette question « armoire », mais Davy coupa :

— Vous souvenez-vous d'être arrivé à l'aéroport, Monsieur ?

— Il me semble, répondit le chanoine avec l'air de quelqu'un qui n'est pas certain du tout de ce qu'il avance.

— Et vous avez pris l'avion pour Lucerne ?

— L'ai-je pris ? Je suis incapable de vous l'assurer.

— Croyez-vous être retourné à l'hôtel *Bertram* ce soir-là ?

— Ma foi...

— Vous vous rappelez l'hôtel *Bertram* ?

— Evidemment ! J'y descends toujours. Très confortable. J'avais réservé ma chambre pour plusieurs jours.

— Vous souvenez-vous d'avoir voyagé dans un train ?

— Un train ? Non.

— Il y a eu un hold-up dans ce train. Mr le chanoine Pennyfather, je suis sûr que vous ne l'ignorez pas.

— Je devrais être au courant, n'est-ce pas ? Et pourtant... non.

Il sourit aux deux policiers comme pour s'excuser.

— Si je vous ai bien compris, vous ne vous souvenez de rien depuis le moment où vous vous rendiez en taxi à l'aérogare et celui où vous vous êtes réveillé dans la maison de Mrs Wheeling, à Milton St. John ?

— Ce n'est pas extraordinaire. Il en est toujours ainsi dans les cas de choc sur la tête, je crois ?

— Qu'avez-vous pensé qu'il vous était arrivé, lorsque vous vous êtes réveillé ?

— Je souffrais d'une telle migraine que je ne pouvais pas réfléchir. Ensuite, naturellement, je me suis demandé où je me trouvais. Mrs Wheeling me l'a expliqué et m'a apporté un bol de soupe. Elle m'appelait « mon chou » et « très cher » et « mon

mignon », précisa-t-il avec confusion. Mais elle était
très gentille, vraiment très gentille.

— Elle aurait dû signaler l'accident à la police.
Vous auriez pu être ainsi conduit à l'hôpital et soigné
correctement.

— Elle s'est parfaitement occupée de moi. Et j'ai
entendu dire qu'en cas de traumatisme crânien, il n'y
a pas grand-chose à tenter sinon garder le patient au
calme.

— S'il vous arrivait de vous souvenir de quelque
chose... commença Campbell.

Le chanoine l'interrompit :

— J'ai l'impression d'avoir perdu quatre jours de
ma vie. Très curieux. Vraiment très curieux. Je me
demande où j'étais et ce que j'ai pu faire ? Le docteur affirme que la mémoire peut me revenir, comme
il est possible qu'elle ne me revienne jamais. (Ses
paupières battirent.) Veuillez m'excuser. Je crois que
je suis un peu fatigué.

— Cela suffit ! appuya Mrs McCrae qui se tenait
près de la porte, prête à intervenir, le cas échéant. Le
docteur a recommandé de ne pas le tourmenter.

La gouvernante raccompagna les deux policiers et
Father, qui marchait le dernier, entendit le chanoine
murmurer quelque chose. Aussitôt, il se retourna :

— Qu'avez-vous dit ?

Mais les yeux du chanoine étaient à présent fer-
més.

— Que croyez-vous qu'il ait murmuré ? demanda
Campbell alors que les policiers s'éloignaient de la
maison.

— Je crois avoir compris « Les Murs de
Jéricho ».

— Qu'est-ce que cela signifie ?

— Cela me semble une allusion biblique.

— Avez-vous espoir que nous saurons un jour de quelle façon il est allé de Cormwell Road à Milton St. John ?

— Je crains qu'il ne nous soit jamais d'un grand secours, concéda Father.

— Cette femme qui déclara l'avoir vu dans le train, au moment du hold-up, a-t-elle raison ? Serait-il possible qu'il soit mêlé de quelque manière à cette affaire ? Cela semble impossible. Un vieux garçon si respectable ! On ne peut pas soupçonner un chanoine de la cathédrale de Chadminster, d'avoir pris part à un hold-up, quand même ?

— Non, et l'on ne saurait pas davantage imaginer Mr Justice Ludgrove participant au vol dans une banque.

Surpris, l'inspecteur jeta un coup d'œil sur le visage impassible de son chef.

L'expédition des deux policiers à Chadminster se termina par une courte et inutile visite au docteur Stokes qui s'était occupé du chanoine.

Le docteur Stokes se montra agressif, réticent et bourru.

— Je connais les Wheeling depuis assez longtemps. Ils se trouvent être mes voisins. Ils ont ramassé un vieillard sur la route sans savoir s'il était ivre mort ou malade. Ils m'ont demandé de venir le voir. Je leur ai appris qu'il n'était pas ivre... mais qu'il avait été victime d'un choc brutal.

— Et vous l'avez soigné ?

— Pas du tout ! Je ne l'ai absolument pas soigné ! Je ne suis pas docteur... Je l'étais autrefois, mais plus maintenant... J'ai dit aux Wheeling qu'ils devaient appeler la police. S'ils l'ont fait ou non, je n'en sais rien. Ce n'est pas mon affaire. Ils sont un peu stupides, ces Wheeling... Mais de braves gens...

— Il ne vous est pas venu à l'idée d'avertir la police, vous-même ?

— Non. Je ne suis plus docteur. Cela ne me regardait pas. Je leur ai seulement conseillé de ne pas lui laisser boire du whisky et de le garder au lit jusqu'à l'arrivée de la police.

CHAPITRE XIX

Mr Hoffman était un homme d'apparence solide. Il semblait avoir été taillé dans un bois dur. Son visage était tellement dépourvu d'expression qu'on doutait qu'il puisse être capable de penser, ou simplement d'éprouver la moindre émotion.

A l'entrée du policier, Hoffman se leva et tendit une large main.

— Chef inspecteur Davy ? Il y a bien des années que je n'aie eu le plaisir. Vous ne vous souvenez sans doute pas de moi ?

— Oh ! Si, Mr Hoffman, je me rappelle parfaitement l'affaire du diamant Aeronberg. Vous étiez un témoin de l'accusation. Un excellent témoin, si vous me permettez de vous donner mon opinion. La défense se montra incapable de vous ébranler.

— On ne m'ébranle pas facilement.

Effectivement, Hoffman n'offrait pas l'aspect d'un homme susceptible de se laisser intimider.

— Qu'y a-t-il à votre service ? Aucun ennui,

j'espère ? Je m'efforce toujours de rester en bons termes avec vos collègues. J'ai une profonde admiration pour notre police londonienne.

— Nous souhaiterions seulement vous entendre confirmer une petite information que nous avons recueillie.

— Je suis à votre disposition. Que voulez-vous savoir ?

— C'est au sujet de l'hôtel *Bertram*.

Le visage de Mr Hoffman ne changea pas.

— L'hôtel *Bertram* ?

Au ton de sa voix, légèrement surpris, on aurait pu penser qu'il n'avait jamais entendu parler de cet hôtel ou, alors, qu'il l'avait oublié.

— Vous vous intéressez au *Bertram*, n'est-ce pas, Mr Hoffman ?

L'homme d'affaires haussa légèrement les épaules.

— Je m'intéresse à tant d'affaires... Je ne puis me souvenir de toutes du premier coup. Tellement de travail... Ainsi, vous pensez que j'ai un rapport quelconque avec cet... hôtel *Bertram* ?

— Je n'aurais pas dû dire un rapport. En fait, vous en êtes le propriétaire, n'est-ce pas ?

Bien que la question ait été prononcée sur un ton badin, Mr Hoffman se raidit.

— Qui a bien pu vous raconter cela ? demanda-t-il doucement.

— Un hôtel bien agréable que ce *Bertram*, j'aimerais bien qu'il m'appartînt. Vous devez en être très fier ?

Après une courte hésitation, Hoffman convint :

— Curieux. Sur le moment, je ne me souvenais plus. Vous comprenez, je possède pas mal de proprié-

tés dans Londres. Un très bon placement, les propriétés.

— Et l'hôtel *Bertram* est un bon placement ?

— Il était sur le point d'être démoli lorsque je l'ai
acheté pour le relancer.

— Je vous félicite car il semble marcher très bien
à présent. Je m'y trouvais il y a quelques jours.
L'atmosphère m'a étonné, avec sa clientèle curieuse
mais charmante. L'endroit est discret, luxueux sans
ostentation.

— Au vrai, je ne sais pas grand-chose du *Bertram*
qui, pour moi, n'est rien de plus qu'un placement.
Mais j'imagine, en effet, qu'il marche bien.

— Vous avez, il me semble, un type extraordinaire
pour le diriger. Comment s'appelle-t-il ? Humfries ?
C'est cela, Humfries ?

— Un homme de confiance. Je le laisse s'occuper
de tout et je me contente de vérifier son livre de
comptes une fois par an. Vous dites que vous étiez
au *Bertram* dernièrement ? Pas... pour une histoire
relevant de vos occupations ?

— Rien de sérieux. Il ne s'agissait que d'éclairer
un petit mystère.

— Un mystère ? A l'hôtel *Bertram* ?

— Le cas de l'ecclésiastique qui s'est perdu, pour-
rait-on l'intituler.

— C'est une plaisanterie ?

— Pas du tout ! Cet ecclésiastique sortit de l'hôtel
un soir et n'y reparut jamais.

— Oh ! mais ce genre de chose arrive, vous savez !
Je me souviens, il y a bien des années, d'une histoire
qui fit beaucoup de bruit à l'époque. Le colonel...
comment s'appelait-il donc ?... le colonel Fergusson,

je crois, l'un des officiers de la maison de la reine Mary. Il sortit de son club un soir et disparut.

— Bien entendu, la plupart de ces disparitions sont volontaires.

— Vous en savez plus que moi sur ce point, Mr le chef inspecteur. J'espère qu'à l'hôtel on vous a apporté toute l'aide nécessaire ?

— Ils n'auraient pu être plus charmants. Cette Miss Gorringe, il y a longtemps qu'elle est à votre service ?

— Probablement. A la vérité, je n'ai aucun rapport avec le personnel. Je n'accorde aucune attention particulière au *Bertram,* dans mes affaires. Je suis même surpris que vous sachiez qu'il m'appartient ?

Ce n'était pas une question directe, mais quand même une question.

Father feignit de ne pas comprendre et reprit :

— Le réseau d'intérêts qui s'enchevêtrent dans la City ressemble à une sorte de filet géant. J'aurais des maux de tête épouvantables s'il me fallait en débrouiller les mailles. J'imagine que le *Bertram* est censé appartenir à une société anonyme, mais c'est vous qui en êtes le vrai propriétaire. Aussi simple que cela. Je ne me trompe pas, n'est-ce pas ?

— Moi et mes associés sommes, en effet, derrière l'affaire, comme l'on dit.

— Vos associés ? Qui sont-ils donc ? Vous et un de vos frères, j'imagine ?

— Mon frère Whilelm s'est associé à moi dans cette entreprise. Vous comprendrez que l'hôtel *Bertram* n'est qu'une partie des nombreux hôtels, bureaux, clubs et autres établissements que nous dirigeons.

— Y a-t-il d'autres associés en dehors de votre frère et vous ?

— Lord Pomfert, Abel Isaacstein. (Hoffman éleva soudain la voix et, d'un ton sec :) Avez-vous vraiment besoin de connaître tous ces détails pour retrouver un ecclésiastique disparu ?

Father hocha la tête et prit un air désolé.

— Non, bien sûr. Je suppose que ce n'est que de la simple curiosité. La recherche de mon ecclésiastique m'a mené au *Bertram*, lequel a éveillé mon intérêt. On passe facilement d'une chose à une autre.

— Je le crois. A présent, votre curiosité est-elle... satisfaite ?

— Il vaut toujours mieux s'adresser à Dieu qu'à ses saints.

Father se leva.

— Il y a cependant encore un problème que j'aimerais bien résoudre... mais je ne pense pas que vous puissiez m'aider.

— Quoi ? demanda Hoffman, méfiant.

— Où le *Bertram* déniche-t-il son merveilleux personnel ? Ce type, par exemple... Henry, celui qui ressemble à un archiduc ou à un évêque ? Il vous sert du thé et des muffins... les meilleurs muffins de Londres. Il semble n'avoir fait que cela toute sa vie.

— Vous aimez les muffins bien beurrés ?

Les yeux de Mr Hoffman regardaient la large silhouette de Davy avec un certain dédain.

— Je l'avoue. Eh bien ! je ne veux pas vous retenir plus longtemps. J'imagine que vos minutes sont précieuses.

— Non, je ne suis pas occupé. Je ne laisse pas le travail absorber tout mon temps. J'ai des goûts campagnards. Je suis surtout heureux parmi les fleurs de mon jardin et au milieu de ma famille à laquelle je suis très attaché.

— Vous avez raison et j'aimerais bien vivre de la sorte.

Mr Hoffman sourit et se leva pesamment pour serrer la main de son visiteur.

— J'espère que vous retrouverez bientôt votre ecclésiastique.

— Oh ! j'ai dû mal m'expliquer. Il a été retrouvé... une histoire sans le moindre intérêt. Il a eu un accident de voiture et souffre de contusions... rien de plus.

Father marcha jusqu'à la porte, puis se retourna brusquement pour demander :

— Au fait, lady Sedgwick est-elle un de vos associés ?

— Lady Sedgwick ?... Non. Pourquoi le serait-elle ?

— Je disais cela au hasard. Elle n'est donc pas sociétaire ?

— Je... je crois, oui.

— Eh bien ! au revoir, Mr Hoffman. Merci beaucoup.

Father retourna au Yard et directement chez son chef.

— Les deux frères Hoffman ont un rapport étroit avec le *Bertram*. Ils le financent.

— Quoi ? Ces canailles ? s'exclama Sir Ronald.

— Oui. Et Robert Hoffman n'a pas semblé très

content que nous soyons au courant. Je crois lui
avoir donné un choc.

— Comment a-t-il réagi ?

— Il a essayé, sans trop insister, d'apprendre comment j'étais au courant.

— Et je suppose que vous ne lui avez rien ré-
vélé ?

— Certainement pas !

— Quel prétexte avez-vous invoqué pour aller le
trouver ?

— Aucun.

— Il n'a pas trouvé cela étrange ?

— Sûrement, si. Je suis assez satisfait de cette
visite.

— Si les Hoffman sont dans le coup, cela expliquerait pas mal de choses. Nous savons qu'ils ne se
mêlent jamais aux actions criminelles, mais ils les
financent.

— Whilelm s'occupe de la question bancaire, en
Suisse. Il a été impliqué dans cette histoire de fausse
monnaie qui eut lieu après la guerre... Nous le
savions, mais nous n'avons rien pu prouver. Ces deux
frères contrôlent une énorme fortune dont ils se
servent pour soutenir toutes sortes d'entreprises...
légales ou non. Mais ils sont prudents et connaissent
toutes les ficelles du métier. Le courtage de diamants, que dirige Robert, est irréprochable.

— Pensez-vous que ce soit Hoffman qui organise
les hold-up sur lesquels nous travaillons ?

— Non. Je suis persuadé que les frères Hoffman
ne s'occupent que de la question financière. Il nous
faut chercher ailleurs l'organisateur

CHAPITRE XX

Ce soir-là, le brouillard s'était brusquement abattu sur Londres. Le chef inspecteur Davy remonta le col de son pardessus et tourna dans Pond Street. Il marchait lentement, ne paraissait préoccupé par rien, mais ceux qui le connaissaient bien, auraient deviné que son esprit était en éveil et qu'il avançait comme un chat qui s'apprête à coincer sa proie.

Pond Street était calme. Peu de voitures y circulaient. Les rumeurs de Park Lane y parvenaient assourdies. On avait le sentiment de ne pas se trouver à Londres, mais dans une petite ville provinciale. La plupart des bus ne roulaient pas par mesure de précaution. Seules, quelques voitures s'aventuraient dans les rues, conduites par des chauffeurs optimistes. Le chef inspecteur entra dans un cul-de-sac, le parcourut et en ressortit. Il tourna à nouveau, apparemment sans but défini, d'un côté, puis d'un autre, mais en vérité, il n'allait pas à l'aventure. Ses pas le faisaient toujours tourner en rond autour de l'hôtel *Bertram*. Il en inspectait les alentours, examinant les voitures qui stationnaient par là et dans le cul-de-sac. Il s'intéressa plus particulièrement à une auto arrêtée dans une petite rue voisine et, hochant la tête, murmura :

— Vous voici donc encore, beauté ? Votre numéro matricule est FAN 2266, ce soir, hé ? (Il se pencha et toucha doucement la plaque avant d'ajouter :) Du bon travail...

Il poursuivit sa ronde, parvint au bout de la petite rue, en sortit, ne tarda pas à se retrouver à une cinquantaine de mètres de l'entrée du *Bertram*. A nouveau, il s'arrêta, admirant la ligne d'une autre voiture de course.

— Vous aussi, êtes une beauté, murmura-t-il. Votre numéro est le même que la dernière fois. Ce qui me plaît, c'est que vous n'en changez pas. Ce qui veut dire... (Il parut hésiter.) Serait-ce cela ? (Il leva la tête et constata :) Le brouillard se fait plus épais.

Devant l'hôtel, le portier irlandais balançait ses bras avec vigueur pour se réchauffer. Le chef inspecteur le salua.

— Bonsoir. Mauvais temps, hein ?

— Oui. Je ne pense pas que ceux qui n'ont rien à faire dehors, ce soir, s'aventureront à sortir.

Les portes furent poussées, une lady d'un certain âge apparut et s'arrêta incertaine.

— Vous désirez un taxi, Ma'ame ?

— Oh ! mon Dieu ! j'avais l'intention de marcher.

— Je ne m'y risquerais pas à votre place. Ce brouillard est mauvais. Même en taxi, il ne vous sera pas facile d'aller vite.

— Pensez-vous que vous m'en trouveriez un ?

— Je vais essayer. Vous feriez mieux de retourner dans le hall à présent et de vous asseoir près du feu. Je viendrai vous prévenir, si j'en déniche un. A moins que ce ne soit absolument nécessaire, ma'ame, à votre place, je ne sortirais pas du tout.

— Vous avez sans doute raison. Mais je suis attendue chez des amis à Chelsea. Je ne sais. Il me sera peut-être encore plus difficile de revenir ici, dans la soirée. Qu'en pensez-vous ?

— Si j'étais vous, Ma'ame, je téléphonerais simplement à ces amis. Ce n'est pas prudent pour une lady comme vous de sortir par une telle nuit.

— Oui... je crois que vous avez raison.

Elle rentra dans l'hôtel.

— Il faut que je veille sur eux, expliqua Michael Gorman en se tournant vers Father.

— Je suppose que vous avez souvent affaire à des ladies âgées ?

— Cet endroit est un home pour elles quand elles se risquent hors de leurs maisons. Dieu les bénisse ! Et vous, Sir ? Voulez-vous un taxi ?

— Je n'imagine pas que vous pourriez m'en dénicher un, si j'en avais besoin. On dirait qu'il n'y en a pas beaucoup par ici ? Avec cette purée de pois, je les comprends. Et puis, un taxi ne me serait d'aucune utilité.

Father pointa son pouce vers l'hôtel et déclara :

— Il faut que j'aille là-dedans. Un travail m'attend.

— Vraiment ? Serait-ce encore ce chanoine disparu ?

— Pas exactement. Il a été retrouvé.

— Retrouvé ? Où ?

— Dans un endroit impossible, souffrant de contusions, après un accident.

— Il fallait s'y attendre avec un homme comme lui. Il a probablement traversé une route sans regarder.

— Probablement.

Il y avait peu de monde dans le hall. Father aperçut Miss Marple, assise près du feu, et Miss Marple qui remarqua son entrée, ne lui adressa aucun signe de reconnaissance. Il s'avança vers la réception où Miss Gorringe se trouvait, comme de coutume, occupée avec ses livres. Le policier eut cependant l'impression qu'elle se troublait légèrement à sa vue. Une réaction presque imperceptible, mais qu'il perçut cependant.

— Vous vous souvenez de moi, Miss Gorringe ? Je suis venu ici, l'autre jour.

— Bien sûr, chef inspecteur. Y a-t-il autre chose que vous désirez savoir ? Voulez-vous parler à Mr Humfries ?

— Je ne pense pas que ce sera nécessaire. J'aimerais jeter encore un coup d'œil sur votre registre, si vous le permettez.

Sans répondre, elle poussa le livre vers lui.

Il parcourut lentement les pages. Pour Miss Gorringe, il donnait l'impression d'un homme qui cherche le nom d'un client. Ce n'était pas le cas. Father était doué d'un talent qu'il avait acquis très tôt dans la vie et qui, avec l'âge, s'était mué en un art raffiné. Grâce à une mémoire étonnante, quasi photographique, il pouvait enregistrer et se souvenir des noms et des adresses qu'il lisait.

Il referma le livre et le rendit à Miss Gorringe en hochant la tête.

— Le chanoine Pennyfather n'est pas revenu, je suppose ?

— Le chanoine Pennyfather ?

— Vous savez qu'il a réapparu ?

— Ma foi, non. Personne ne m'en a averti. Où était-il ?

— Dans un petit coin de campagne. Il semblerait qu'il a été renversé par une voiture. On ne nous a pas prévenus. Heureusement, un bon Samaritain l'a recueilli et soigné.

— Je suis contente, très contente, car j'étais vraiment inquiète à son sujet.

— Ses amis aussi. Je venais voir si l'un d'eux ne serait pas ici. L'archidiacre... l'archidiacre... voilà que je ne me souviens plus de son nom à présent. Cela me reviendrait si je le voyais.

— Tomlinson ? Il ne sera là que la semaine prochaine. Il arrive à Salisbury.

— Non, pas Tomlinson. Mais ça n'a aucune importance.

Il se détourna et regarda les clients du *Bertram.*

Un homme mûr lisait un manuscrit et prenait quelques notes. Un ou deux couples âgés restaient assis, en silence. A l'occasion, ils émettaient de vagues considérations sur le temps.

Sans hâte et apparemment sans aucune intention bien fixée, Father s'approcha de Miss Marple qui le guettait, près du feu.

— Vous êtes donc encore ici, Miss Marple ? J'en suis heureux.

— Je pars demain. C'est la fin de deux semaines de vacances !

— Vous en garderez un bon souvenir, j'espère ?

Miss Marple ne répondit pas directement.

— En un sens... oui...

— Mais ?

— Il est difficile d'expliquer ce que je ressens.

— N'êtes-vous pas trop près du feu ? Il fait très chaud, ici. Ne préféreriez-vous pas... ce coin là-bas, par exemple ?

Miss Marple porta son regard sur le coin indiqué, puis sur le chef inspecteur.

— Vous avez raison.

Il l'aida à se lever, porta son sac et son livre et l'installa à la place indiquée.

— Ça va ?

— Très bien, merci.

— Vous savez pourquoi j'ai suggéré cet endroit ?

— Vous avez pensé... très aimablement... que j'avais chaud près du feu, et puis, notre conversation ne peut être entendue, d'ici.

— Y a-t-il quelque chose que vous désirez me confier, Miss Marple ?

— Qu'est-ce qui vous le donne à croire ?

— Une simple impression.

— Je suis désolée de l'avoir laissé paraître si clairement.

— Eh bien, de quoi s'agit-il ?

— Je ne sais si je peux. J'aimerais que vous vous persuadiez que je ne tiens pas à me mêler des histoires des autres, inspecteur. Même partant d'une bonne intention, une pareille initiative peut causer beaucoup de mal.

— Faites-vous allusion au chanoine Pennyfather ?

— Le chanoine Pennyfather ? (Miss Marple eut l'air surprise.) Oh ! non. Cela n'a rien à voir avec lui. Non... c'est au sujet d'une jeune fille.

— Vraiment ? Une jeune fille. Et vous pensez que je puis intervenir ?

— Je ne sais pas. Mais, je suis inquiète. Très inquiète.

Father ne la pressa pas. Il resta assis, attendant. Il la laissa prendre tout son temps. Elle avait offert de l'aider, à son tour, il agirait de son mieux pour lui être utile. Sans doute, n'était-il pas particulièrement curieux d'entendre les confidences de la vieille demoiselle, mais, sait-on jamais ?...

— On lit dans les journaux, commença Miss Marple d'une voix grave, les jugements rendus par les tribunaux, portant sur des jeunes personnes, enfants ou jeunes filles qui ont besoin d'attention, de protection.

— Cette jeune fille dont vous vous préoccupez, auriez-vous le sentiment qu'elle a besoin d'attention et de protection ?

— Oui.

— Elle est seule au monde ?

— Au contraire ! Si l'on s'en rapporte aux apparences, elle est très protégée, et entourée de mille soins

— Curieux...

— Elle est descendue à cet hôtel avec une Mrs Carpenter, je crois. J'ai regardé dans le registre. La jeune fille s'appelle Elvira Blake. Une charmante enfant. Son tuteur est le colonel Luscombe, un homme très aimable, plus très jeune, bien sûr, mais

terriblement naïf, je le crains. Je ne sais pas grand-
chose de sa pupille, pourtant, je pense qu'elle est en
danger. Je l'ai rencontrée, par hasard, dans le parc de
Battersea. Elle était assise dans un salon de thé avec
un homme...

— Un blouson noir, je suppose ?

— Un très beau garçon, d'environ trente ans. Le
genre qui plaît aux femmes, j'imagine, mais son
expression ne m'a pas plu. Cruelle, pareille à celle
d'un oiseau de proie.

— Il n'est peut-être pas aussi mauvais qu'il le
paraît ?

— A mon avis, il est pire qu'il n'en a l'air. J'en
suis sûre. Il conduit une voiture de course.

— Tiens... tiens... une voiture de course ?

— Oui. Je l'ai remarquée une ou deux fois non
loin de cet hôtel.

— Vous ne vous souvenez pas du numéro ?

— Si. FAN 2266. J'avais une cousine qui bégayait.
C'est pour cela que je m'en souviens.

Father ne saisit pas le rapport et ne s'en soucia
pas. Miss Marple reprenait :

— Savez-vous qui il est ?

— Moitié français, moitié polonais. Un pilote de
courses très connu. Il a gagné le championnat du
monde il y a trois ans. Il s'appelle Ladislas Malinowski. Vous avez parfaitement raison dans votre
jugement à son sujet. Il jouit d'une mauvaise réputation en ce qui concerne les femmes. Pas une bonne
relation pour une jeune fille. Mais, il est difficile
d'intervenir sur ce point. J'imagine que cette petite le
rencontre en cachette ?

— Presque certainement.

— Avez-vous essayé d'en parler à son tuteur ?

— Je ne lui ai été présentée qu'une fois par un ami commun. Je ne me vois pas, allant le trouver pour lui raconter des histoires qui ne me regardent pas. Je me demandais si vous...

— Je puis essayer. A propos, je pense que vous apprendrez avec plaisir que votre ami, le chanoine Pennyfather, a été retrouvé, sain et sauf.

— Vraiment ! (Miss Marple parut heureuse.) Où ?

— Un endroit appelé Milton St. John.

— Etrange. Qu'y faisait-il ? S'en souvient-il ?

— Il paraît avoir été victime d'un chauffard.

— Et il ne se rappelle rien ?

— A peu près rien.

— C'est bizarre...

— N'est-ce pas ! La dernière chose dont il se souvienne, est son départ en taxi pour l'aérogare de Kensington.

— Vous a-t-il donné un renseignement quelconque ?

— Il a murmuré quelque chose à propos des murs de Jéricho.

— Archéologie... découvertes ?... Attendez ! je me souviens, il y a bien des années, j'ai lu une pièce de théâtre qui portait ce titre, une pièce d'un certain Mr Sutro, je crois.

— Bravo ! Car, figurez-vous que cette semaine, les cinémas Gaumont présentent un film *Les Murs de Jéricho*, avec Olga Radbourne et Bart Levinne.

Miss Marple lui jeta un regard de doute.

— Il aura pu assister à ce film dans Cromswell Road, insista Father. Il sera sorti du cinéma vers onze heures et revenu ici... bien qu'en ce cas, on eût dû le voir...

— Il s'est probablement trompé de bus, suggéra Miss Marple.

— Disons qu'il est arrivé ici après minuit... qu'il est monté dans sa chambre sans que personne ne le remarque... Mais, après que s'est-il passé ?... Pourquoi est-il ressorti trois heures plus tard ?

Miss Marple chercha le mot qui convenait.

— La seule idée qui m'est venue... oh !

Elle sursauta alors qu'un bruit d'explosion se faisait entendre à l'extérieur.

— Le tuyau d'échappement d'une voiture, expliqua Father d'une voix apaisante.

— Pardonnez-moi d'être si nerveuse, ce soir... je ressens une impression curieuse, l'impression que... que...

— Que quelque chose de terrible va se produire ? Je ne pense pas que vous ayez raison d'être inquiète.

— Je n'ai jamais aimé le brouillard.

— Je voulais vous assurer que vous m'avez apporté une aide très utile. Les détails que vous avez remarqués se sont ajoutés au reste.

— Il y a donc quelque chose qui ne va pas, ici ?

— Rien ne va, si vous voulez mon avis.

Miss Marple soupira.

— Cet hôtel... au premier abord, cela semble merveilleux... immuable... comme si l'on faisait un pas en arrière dans le passé... dans le passé que l'on aimait. Mais, il y a longtemps que j'ai appris qu'on ne doit jamais essayer de revenir en arrière. La vie est comme une rue à sens unique, n'est-ce pas ?

— En quelque sorte, oui.

— Cet endroit semblait privilégié, mais il ne l'était pas, avec ce mélange de personnages réels et d'autres qui ne l'étaient plus. Il n'est pas toujours facile de les séparer.

— Qu'entendez-vous par : pas réels ?

— A côté de retraités de l'armée des hommes, qui semblaient être eux aussi des retraités de l'armée et qui n'avaient jamais fait que leur service militaire. Et des ecclésiastiques qui n'en étaient pas. Des amiraux, des capitaines de navires qui n'avaient jamais appartenu à la marine. Mon amie Selina Hazy m'amusait, au début, avec sa manie de reconnaître des personnes qu'elle avait connues. Elle se trompait si souvent que cela a fini par m'intriguer. Tenez, même Rose, la femme de chambre... si gentille... j'en suis venu à me demander si elle existait vraiment !

— Si cela vous intéresse de le savoir, c'est une ancienne actrice. Elle gagne plus ici qu'elle n'a jamais gagné sur les planches.

— Mais... pourquoi tous ces faux fantômes ?

— Des figurants dans un décor qui cache peut-être autre chose de plus important.

— Je suis contente de partir avant que rien de grave ne se produise.

Le chef inspecteur la regarda avec curiosité.

— Que vous attendez-vous donc à voir arriver ?

— Je ne sais pas... je sens le Mal rôder.

— Voilà un bien grand mot !

— Vous pensez que je suis trop mélodramatique ? Mais, c'est que j'ai de l'expérience. J'ai été si souvent... en contact... avec le meurtre.

— Le meurtre ? Je ne soupçonne aucun meurtre.

Seulement un gentil petit rassemblement de criminels.

— Ce n'est pas la même chose. Un meurtre... le désir de commettre un meurtre... est complètement différent.

Davy la rassura.

— Il n'y aura pas de meurtre.

Un bruit sec, plus distinct que le précédent, arriva de l'extérieur, bientôt suivi par un cri.

Avec une rapidité surprenante, pour un homme de sa corpulence, le chef inspecteur fut sur ses pieds en un instant et se précipita vers la porte.

Les cris terrifiés d'une femme perçaient le brouillard. Le chef inspecteur courut dans Pond Street, vers l'endroit d'où les cris lui semblaient parvenir. Il distinguait mal une silhouette féminine se découpant contre une grille. En quelques enjambées, il la rejoignit. Elle portait un manteau de fourrure clair et de longs cheveux encadraient son visage. Il pensa un moment qu'il la connaissait mais il réalisa qu'il s'agissait d'une toute jeune fille. Etendu à ses pieds, sur la chaussée, le corps d'un homme en uniforme. Le chef inspecteur Davy se pencha ; il s'agissait de Michael Gorman.

Tremblante, la jeune fille s'accrocha au policier et balbutia :

— Quelqu'un a essayé de me tuer... Quelqu'un... ils m'ont tiré dessus... S'il n'avait pas été là... (Elle montra la masse immobile à ses pieds.) Il m'a poussée en arrière et s'est mis devant moi... et on a tiré à nouveau... et il est tombé... Il m'a sauvé la vie. Je crois qu'il est blessé... gravement blessé...

Davy mit un genou à terre et alluma sa lampe torche. Le portier irlandais était tombé en soldat. Le côté gauche de sa tunique était maculé de sang. Davy souleva une paupière, tâta le pouls. Il se releva.

— Il a eu son compte.

La jeune fille poussa un cri aigu.

— Voulez-vous dire qu'il est mort ? Oh ! non, non ! c'est impossible !

— Qui vous a tiré dessus ?

— Je ne sais pas... J'avais laissé ma voiture juste au coin de la rue et je me dirigeais vers l'hôtel *Bertram*. Et, soudain, il y a eu ce coup de feu... Une balle a frôlé ma joue et... il... le portier du *Bertram* est arrivé en courant. Il s'est mis devant moi. On a tiré un autre coup... Je crois que celui qui tirait devait se tenir par là.

Le chef inspecteur suivit du regard le lieu qu'elle indiquait. A la suite du *Bertram*, il y avait un terrain, en contrebas, avec une grille et des marches y conduisaient. Les marches donnaient sur des dépôts et étaient rarement empruntées. Un homme pouvait cependant y trouver facilement refuge.

— Vous ne l'avez pas vu ?

— Mal. Il a passé devant moi en courant et le brouillard...

La jeune fille se mit à pleurer, en disant :

— Mais qui essayerait de me tuer ? Pourquoi voudrait-on ma mort ? C'est la deuxième fois. Je ne comprends pas... pourquoi...

Un bras autour de la jeune fille, Davy fouilla dans sa poche de sa main libre, et les notes aiguës d'un sifflet de police s'enfoncèrent dans le brouillard.

Dans le hall du *Bertram,* Miss Gorringe avait levé
brusquement les yeux de ses livres. Un ou deux
clients s'étaient dressés. Seuls les plus âgés et les plus
sourds ne réagirent pas. Henry, s'apprêtant à poser
un verre de cognac sur une table, suspendit son geste.
Miss Marple se pencha en avant, les mains crispées
sur les bras de son fauteuil. Un amiral retraité déclara, avec assurance :

— Des voitures ont dû se tamponner dans le
brouillard.

Les portes de la rue furent poussées et quelqu'un,
qui semblait être un policier en civil, de large carrure,
entra, soutenant une jeune fille qui paraissait presque
incapable de marcher. Le policier regarda autour de
lui, comme pour demander de l'assistance. Il avait
l'air embarrassé.

Miss Gorringe sortit de derrière son comptoir prête
à offrir son aide. Mais à ce moment, l'ascenseur
s'ouvrit. Une longue silhouette en sortit et la jeune
fille, se dégageant, traversa le hall en courant.

— Maman ! cria-t-elle. Oh ! maman ! maman !...
et elle se jeta dans les bras de Bess Sedgwick en
pleurant.

CHAPITRE XXI

Le chef inspecteur se cala confortablement dans son fauteuil et contempla les deux femmes assises en face de lui. Il était plus de minuit. Les autorités policières étaient venues et reparties. On avait vu le médecin légiste, les spécialistes des empreintes. Une ambulance s'était chargée du corps de Michael Gorman. A présent, toute l'attention se concentrait sur cette pièce mise à la disposition de la police par l'hôtel *Bertram*. Le chef inspecteur Davy était installé d'un côté de la table. Bess Sedgwick et Elvira se tenaient de l'autre côté. Assis contre le mur, un policier prenait des notes. Le sergent-détective Wadel restait debout, près de la porte.

Father contempla pensivement les deux femmes, mère et fille. Superficiellement, elles se ressemblaient beaucoup. Il comprit pourquoi il avait confondu Elvira avec Bess, dans le brouillard. Mais à présent, il était plus surpris par le contraste qu'elles offraient que par leur ressemblance. Il avait l'impression de se trouver devant le négatif et le positif d'une même photo. Tout en Bess Sedgwick était positif. Sa vitalité, son énergie, son charme. Davy avait toujours admiré lady Sedgwick et plus particulièrement sa volonté indomptable. Elle avait eu un accident d'avion, plusieurs collisions au volant de ses voitures de course, fait deux mauvaises chutes de cheval, mais après chacune de ces aventures dangereuses, elle était réapparue aussi belle et pleine d'entrain. Une personnalité qu'on ne pouvait oublier.

Father reporta ses yeux sur la jeune fille. Tout de suite, le policier estima que chez Elvira Blake, la vie intérieure occupait le premier rang. Bess Sedgwick traversait l'existence en s'imposant. Elvira devait se soumettre et obéir mais derrière son gentil sourire, elle allait à sa guise et vous glissait entre les doigts. Cette espèce de perpétuelle absence devait être la défense, parce qu'on ne lui permettait jamais de s'extérioriser ou de s'imposer. Et, pourtant, ceux qui avaient la charge de veiller sur Elvira, ne pouvaient se douter de ce qu'elle pensait.

Que faisait Elvira, à se promener autour de l'hôtel *Bertram*, par cette soirée de brouillard ? Davy, qui s'apprêtait à lui poser la question, se reprit. Elle ne lui dirait presque certainement pas la vérité. Etait-elle venue pour rencontrer sa mère ou pour la chercher ? Mais le chef inspecteur ne pouvait détacher sa pensée de la voiture de sport, rangée au coin de la rue... la voiture avec le numéro matricule FAN 2266. Ladislas Malinowski devait se tenir dans les parages puisque sa voiture y était.

— Eh bien ! demanda Father, s'adressant à la

jeune fille sur un ton paternel, comment vous sentez-
vous, à présent ?

— Bien.

— Bon. J'aimerais vous poser quelques questions,
si vous pensez pouvoir y répondre. Vous devez comprendre que, dans les histoires criminelles, le temps
est précieux. On vous a tiré dessus deux fois et un
homme a été tué. Nous voulons le plus d'indications
possible sur la personne qui a tiré.

— Tout est arrivé si vite... et dans le brouillard où
l'on ne peut rien voir de précis. Je n'ai aucune idée
de l'identité du meurtrier... et je ne saurais même pas
vous indiquer à quoi il ressemblait.

— Vous nous avez déclaré que c'était la deuxième
fois que quelqu'un essayait de vous tuer. Cela veut-il
signifier que, par le passé, on a déjà essayé d'attenter
à votre vie ?

— Ai-je dit cela ? Je ne m'en souviens pas.

Son regard fuyait et Davy sut qu'elle mentait.

— Vous l'avez dit, Miss.

— Je suppose que j'étais affolée et que j'ai raconté
n'importe quoi.

— Ce n'est pas mon avis, Miss. Je suis persuadé
que vous saviez très bien de quoi vous parliez.

— J'ai pu imaginer des choses...

Bess Sedgwick intervint calmement :

— Vous feriez mieux de tout lui confier, Elvira.

La jeune fille jeta un coup d'œil gêné à sa mère.

— Vous n'avez pas besoin d'être inquiète, la rassura Father. Nous n'ignorons pas, dans notre métier,
que les jeunes filles ne racontent pas obligatoirement
tout à leur mère ou à leurs tuteurs. Nous n'attachons
pas grande importance à ces histoires, mais, dans le

cas présent, il faut que nous sachions, car cela pourrait nous aider.

Bess Sedgwick demanda :

— Etait-ce en Italie ?

— Oui.

— C'est là que vous vous trouviez, en pension, n'est-ce pas ? questionna Father.

— Oui. Chez la comtesse Martinelli. Nous étions environ une vingtaine de pensionnaires.

— Et vous pensez que quelqu'un a essayé de vous supprimer ? Comment cela est-il arrivé ?

— Un jour, une grosse boîte de chocolats est arrivée pour moi. Une carte l'accompagnait, écrite en un italien emphatique. Quelque chose comme *A la signorina bellissima*. Mon amie et moi en avons ri tout en nous interrogeant sur l'expéditeur.

— Le paquet avait-il été envoyé par la poste ?

— Non. Je l'ai trouvé dans ma chambre. Quelqu'un l'y a déposé pendant mon absence.

— Une domestique a dû se charger de la commission. Je suppose que vous n'avez pas mis la comtesse au courant ?

Un léger sourire se dessina sur les lèvres d'Elvira.

— Non. Certainement pas. Nous avons ouvert la boîte de chocolats, dont quelques-uns fourrés à la pistache, ma gourmandise favorite, et j'en ai mangé un ou deux. La nuit suivante, j'ai été très malade. Je ne pensais pas que cela venait des chocolats, mais peut-être de ce que j'avais pris au dîner.

— Quelqu'un d'autre a-t-il ressenti le même malaise ?

— Non. J'ai vraiment passé une très mauvaise

nuit, mais le lendemain, j'étais beaucoup mieux. Puis,
un ou deux jours plus tard, j'ai regoûté aux chocolats
et la même chose s'est produite. J'en ai alors parlé à
Bridget, ma meilleure amie. Nous avons examiné les
chocolats et découvert que ceux fourrés à la pistache
étaient percés d'un trou en dessous. Mon amie et moi
avons pensé, à ce moment, que quelqu'un avait glissé
du poison seulement dans ces bonbons, supposant
que je serais la seule à en manger, puisque le cadeau
était pour moi et que tout le monde, à la pension,
connaissait ma passion pour ce genre de friandise.

— L'expéditeur a pris un grand risque. La pension
entière aurait pu être empoisonnée.

— Absurde ! s'exclama lady Sedgwick. Complètement absurde ! Je n'ai jamais rien entendu d'aussi
ridicule !

Le chef inspecteur, de la main, imposa silence à
lady Sedgwick, puis, se tournant vers Elvira, il
reprit :

— Cette histoire est très intéressante, Miss Blake.
Pourquoi n'avez vous pas informé la comtesse ?

— Elle en aurait fait un drame

— Que sont devenus les chocolats ?

— Nous les avons jetés.

— Vous n'avez pas essayé de savoir qui vous les
avait envoyés ?

Elvira eut l'air embarrassé.

— J'ai pensé que ce devait être Guido.

— Et qui est ce Guido ?

— Oh ! Guido...

La jeune fille s'interrompit et jeta un coup d'œil
à sa mère.

— Ne soyez pas ridicule, lança lady Sedgwick.

Parlez de Guido ou quel que soit son nom, au chef
inspecteur. Chaque jeune fille de votre âge a un
Guido dans sa vie. Vous l'avez rencontré là-bas, je
suppose ?

— Oui. Lorsqu'on nous a emmenées au théâtre. Il
m'adressa la parole. Il était gentil, beau garçon. Je le
rencontrais parfois, lorsque nous allions faire des
courses. Il me passait souvent des lettres.

— Et j'imagine, reprit lady Sedgwick, que vous
avez raconté un tas de mensonges à vos professeurs,
et qu'avec la complicité de vos amies, vous vous êtes
arrangée pour sortir et le rencontrer ?

Elvira parut soulagée de cette explication qui lui
évitait une confession.

— Oui. Bridget et moi sortions parfois ensemble.
Quelquefois, Guido arrivait à...

— Quel était le second nom de Guido ?

— Je ne sais pas. Il ne me l'a jamais appris.

Le chef inspecteur lui sourit.

— Avouez plutôt que vous ne voulez pas me le
révéler. Ça n'a d'ailleurs aucune importance, car nous
le découvrirons facilement, si nous en avons besoin.
Mais pourquoi, ce jeune homme qui semblait épris de
vous, aurait-il souhaité vous tuer ?

— Il avait l'habitude de me menacer. Il nous arrivait parfois de nous disputer. Lorsqu'il venait me
voir avec quelques-uns de ses amis, je feignais de les
lui préférer. Cela le rendait furieux. Il me conseillait
de me méfier, que si j'avais l'intention de me débarrasser de lui, il me tuerait. Je pensais qu'il racontait
tout cela pour m'impressionner, et je n'y croyais
pas.

— Il me semble peu probable, en effet, qu'un

jeune homme tel que vous le décrivez, puisse empoisonner des chocolats et vous les envoyer.

— Je ne le pense pas non plus, mais, à part lui, je ne vois pas qui aurait pu avoir eu cette idée. Lorsque je suis revenue ici, j'ai reçu un mot dans une enveloppe...

— Que disait-il ?

— Tapé à la machine, il me conseillait de me tenir sur mes gardes, car quelqu'un voulait me tuer.

Le chef inspecteur leva les sourcils.

— Vraiment ? C'est curieux. Avez-vous eu peur ?

— Oui. Je me suis demandé qui... voulait se débarrasser de moi. C'est pour cela que j'ai essayé de savoir si j'étais vraiment riche.

— Continuez.

— Et l'autre jour, alors que j'étais sur le quai du métro, au milieu d'un tas de monde, j'ai eu l'impression que quelqu'un essayait de me pousser sur les rails.

— Ma chère enfant ! intervint Bess Sedgwick. N'exagérez pas !

A nouveau, Father lui fit signe de se taire.

— Il est possible que je me sois laissé entraîner par mon imagination, mais... je ne sais plus... Après ce qu'il est arrivé ce soir, il semblerait que j'avais raison. Vous ne croyez pas ? (Elle se tourna vers sa mère et demanda d'un ton altéré :) Maman, vous savez peut-être, vous ? Quelqu'un aurait-il une raison de vouloir me tuer ? Ai-je des ennemis ?

— Bien sûr que non, voyons ! Ne soyez pas idiote ! Personne ne veut vous tuer ! Quelle raison aurait-on ?

— Alors, qui m'a tiré dessus, ce soir ?

— Dans ce brouillard, on vous a peut-être prise pour quelqu'un d'autre. C'est possible, vous ne croyez pas, inspecteur ?

— Oui, c'est possible.

Bess Sedgwick le fixa intensément. Il crut lire deux mots qu'elle formait avec les lèvres : « Plus tard. »

— Voyons, lança-t-il d'un ton enjoué. Si nous considérions quelques détails supplémentaires ? Miss Blake, d'où veniez-vous ce soir ? Que faisiez-vous dans Pond Street, par une nuit pareille ?

— Je suis arrivée à Londres ce matin, pour assister à un cours d'histoire de l'art à la « Tate Galerie ». Ensuite, j'ai déjeuné avec mon amie Bridget. Elle habite Onslow Square. Après, nous sommes allées voir un film et à la sortie du cinéma, le brouillard était très épais. J'ai eu peur de retourner à la maison avec ma voiture.

— Vous avez une voiture ?

— Oui. J'ai eu mon permis l'été dernier. Mais je ne suis pas une bonne conductrice et je déteste le mauvais temps. La mère de Bridget m'a alors proposé de rester cette nuit chez elle. J'ai donc téléphoné à ma cousine Mildred... chez qui j'habite, dans le Kent. Elle m'a approuvée de rester à Londres.

— Et ensuite ?

— Un peu plus tard, le brouillard a paru se dissiper comme cela arrive souvent. J'ai donc décidé de rentrer chez ma cousine, mais, après avoir quitté la maison de Bridget, le brouillard s'épaissit de nouveau. Je ne savais plus où j'étais mais au bout d'un moment, j'ai réalisé que j'arrivais à Hyde Park Corner et je me suis rappelé que je n'étais pas très loin de ce gentil hôtel où oncle Derek et moi étions

descendus à mon retour d'Italie. J'ai pensé qu'on me
trouverait bien une chambre pour la nuit. Après
avoir abandonné ma voiture sur place, je suis venue
à pied à Pond Street.

— Avez-vous rencontré quelqu'un ou entendu
quelqu'un marcher derrière vous ?

— C'est curieux que vous fassiez cette remarque,
car j'ai eu, en effet, l'impression que quelqu'un me
suivait. Naturellement, beaucoup de gens devaient se
déplacer à pied, comme moi, mais par temps de
brouillard, on est toujours nerveux et prêt à imaginer le pire. Je me suis arrêtée et ai écouté, les pas
semblaient s'être éloignés. Je me trouvais assez près
de l'hôtel à ce moment-là.

— Et puis ?

— C'est alors que, brusquement, un coup de feu a
claqué. Comme je vous l'ai dit, j'eus l'impression que
la balle me frôlait la joue. Le portier qui se tient
devant l'entrée de l'hôtel arriva en courant et me
poussa derrière lui, c'est alors que... le... le deuxième
coup a éclaté... Il s'écroula... j'ai crié.

Elle se mit à trembler et sa mère parla d'une voix
apaisante :

— Calmez-vous. C'est fini maintenant.

Elle s'exprimait sur le ton qu'on emploie pour
calmer un cheval nerveux.

La jeune fille se détendit.

— C'est bien, approuva Bess Sedgwick.

— Après cela, vous êtes arrivé, reprit Elvira en se
tournant vers Father. Vous avez sifflé et demandé à
un des policiers accourus de m'emmener dans l'hôtel.
Quand j'y suis entrée, j'ai aperçu maman.

— Ce qui nous amène à l'heure présente, conclut Father. Connaissez vous Ladislas Malinowski ?

La jeune fille laissa échapper un petit cri étouffé, avant de répondre :

— Non, non, je ne le connais pas.

— Je croyais. Je pensais qu'il se trouvait peut être ici ce soir.

— Pourquoi ?

— Sa voiture est rangée dans le voisinage.

— Je vous répète que je ne le connais pas.

— Je me suis donc trompé, s'excusa Father, qui se tourna vers Bess. C'est vous qui le connaissez, je crois ?

— Depuis plusieurs années, en fait. C'est un fou, vous savez. Il conduit comme un diable... Il se cassera le cou un de ces jours. Il a déjà eu un grave accident, l'année dernière.

— Je m'en souviens. Il n'a pas encore recommencé à courir, je crois ?

— Non, pas encore. Il ne courra d'ailleurs peut-être jamais plus.

— Pensez-vous que je puisse aller me coucher, à présent ? coupa Elvira d'un ton plaintif. Je suis vraiment fatiguée.

— Je vous comprends, lui répondit Father. Vous nous avez bien tout dit ce dont vous vous souveniez ?

— Oui.

— Je monte avec vous, déclara Bess.

Mère et fille se retirèrent.

— Elle le connaît, affirma Father à ses hommes.

— Vous croyez, Sir ?

— J'en suis sûr. Elle a pris le thé avec lui dans le

parc de Battersea, pas plus tard qu'hier ou avant-hier.

— Comment l'avez-vous su, Sir ?

— Une vieille lady me l'a appris... elle était bouleversée, car elle estimait qu'il n'est pas une compagnie recommandable pour une jeune fille, et, ma foi, elle a raison.

— Surtout si lui et la mère... (Wadell s'interrompit par délicatesse.) Tout le monde en parle...

— Oui. C'est vrai ou c'est faux. Probablement vrai.

— Dans ce cas, à laquelle des deux s'intéresse-t-il ?

Father ignora la question et déclara :

— Je veux qu'on me l'amène. Sa voiture se trouve juste au coin de la rue.

— Voulez-vous dire qu'il est descendu à cet hôtel ?

— Je ne pense pas. Ça ne cadrerait pas dans le tableau. Il n'est pas supposé demeurer ici. S'il y est venu, ce devrait être pour rencontrer la fille. Je pense qu'elle s'apprêtait à le rejoindre.

La porte s'ouvrit et Bess Sedgwick réapparut.

— Je désirerais vous parler, inspecteur.

Elle regarda les deux policiers debout près de leur chef.

— En particulier, si c'est possible.

L'inspecteur ordonna à ses hommes de se retirer.

— Je vous écoute, lady Sedgwick.

— Cette histoire au sujet des chocolats est absurde. Je n'y crois absolument pas.

— Vous n'y croyez pas ?

— Et vous ?

— Vous pensez que votre fille a inventé ce mélodrame ?

— Oui. Mais, pourquoi ?

— Si vous ne le savez pas, comment le saurais-je ? Après tout, elle est votre fille et vous devez mieux la connaître que moi.

— Justement, je ne la connais pas du tout ! Je ne l'ai plus vue depuis qu'elle avait deux ans, lorsque j'ai quitté mon mari.

— Je suis au courant. Assez curieux, d'ailleurs. Généralement, lady Sedgwick, si elle le demande et même si le divorce est à ses torts, la mère obtient des tribunaux la garde des enfants. Vous n'avez pas demandé à avoir votre fille, je présume ?

— J'ai pensé qu'il... valait mieux qu'elle ne soit pas avec moi.

— Pour quelles raisons ?

— J'ai jugé que ce ne serait pas bon pour elle.

— Au point de vue moral ?

— Non, pas du tout. Non, je pense plutôt que je ne suis pas la personne indiquée pour élever un enfant. La vie que je mène, n'est pas une existence de tout repos. On ne peut changer sa façon d'être. J'étais née pour vivre dangereusement. Je n'obéis ni aux lois ni aux conventions. J'ai donc estimé qu'il serait préférable, pour Elvira, de recevoir une éducation normale.

— Mais dépourvue d'amour maternel ?

— Je craignais que si elle s'attachait à moi, cette tendresse ne lui apporte que de la tristesse. Vous ne me croyez peut-être pas, mais j'en étais convaincue.

— Pensez-vous encore aujourd'hui que vous avez eu raison ?

— Non. Maintenant, je me demande si je ne me suis pas trompée.

— Votre fille connaît-elle Ladislas Malinowski ?

— Je suis sûre que non. Elle vous l'a dit elle-même.

— En effet.

— Eh bien ?

— Elle avait peur, lady Sedgwick. Dans notre métier, nous reconnaissons la peur, lorsque nous la rencontrons. Votre fille avait peur... pourquoi ? Chocolats ou pas chocolats, on a attenté à sa vie. Cette histoire de métro est peut-être vraie.

— Ridicule ! Un vrai roman à sensations.

— Peut-être, mais ce genre de choses arrivent et plus souvent que vous ne l'imaginez. Soupçonneriez-vous quelqu'un d'avoir eu l'intention d'attenter à la vie de votre fille ?

— Personne !

CHAPITRE XXII

La visite que Davy rendit à Mrs Melford s'avèra inutile. La cousine Mildred s'était montrée incohérente, crédule et sans cervelle. Elle ne savait rien, n'avait rien entendu et rien vu.

Une brève conversation téléphonique avec le colonel Luscombe ne se révéla pas plus féconde pour le policier.

Le chef inspecteur reposa le téléphone en grognant :

— Il ne voit le mal nulle part. L'ennui, est que tous ceux qui ont eu affaire à cette fille, sont des gens trop bien élevés, trop naïfs. Ce n'est pas comme ma vieille lady.

— Celle de l'hôtel *Bertram*, Sir ? demanda un des sergents.

— Oui. Elle a passé sa vie déjà longue à observer le mal, à le traquer et à le combattre. Je vais aller voir ce que je puis tirer de l'amie Bridget.

La mère de la jeune fille rendit l'entretien difficile.

en dépit des efforts de Bridget pour se débarrasser de son chaperon. Après plusieurs phrases vagues, des réponses incohérentes, et l'expression horrifiée que prit la mère de Bridget à la nouvelle de l'attentat dont Elvira avait été victime, la jeune fille s'exclama :

— Vous oubliez qu'il est l'heure de votre réunion de comité, Mummy ? Ne m'aviez-vous pas dit que c'était très important ?

— Mon Dieu ! j'allais l'oublier !

— Ils ne sauront pas se débrouiller sans vous.

— C'est vrai. Mais, il vaudrait peut-être mieux que...

— Ne vous faites pas de souci pour moi, Madame, intervint le chef inspecteur d'un ton paternel. J'en ai terminé avec les choses importantes et je sais, maintenant, tout ce que je voulais apprendre. Je souhaiterais seulement poser encore une ou deux questions supplémentaires à votre fille, au sujet de quelques personnes, dont Miss Bridget a peut-être entendu parler, en Italie.

— Si vous pensez que vous pourrez vous débrouiller seule, Bridget...

— Oh ! certainement, Mummy.

Finalement, la mère de la jeune fille se décida à partir.

— Ciel ! soupira Bridget en refermant la porte après le départ de sa mère. Je pense vraiment que, par moments, les mères sont impossibles !

— Un tas de jeunes filles que j'ai eu l'occasion de rencontrer, me l'affirment aussi.

— Tiens ! J'aurais pensé que vous prétendriez le contraire ?

— Mon opinion n'a pas d'intérêt. Bon. A présent, je vous écoute.

— Je ne pouvais parler librement devant Mummy. Mais je sais qu'Elvira était tourmentée et qu'elle avait peur. Elle ne voulait pas admettre qu'elle se trouvait en danger, mais je suis certaine qu'une menace pesait sur elle et qu'elle s'en rendait compte.

— Tout d'abord, je voudrais vous interroger sur une certaine boîte de chocolats, en Italie. Je pense qu'elle a imaginé que les chocolats qui lui avaient été envoyés, auraient pu être empoisonnés.

— Empoisonnés ! (La jeune fille ouvrit des yeux ronds.) Oh ! non ! Je ne le pense pas ! Tout du moins...

— Continuez, je vous prie ?

— Une boîte de chocolats est effectivement arrivée, et Elvira, qui en mangea beaucoup, a été malade dans la nuit. Assez malade même.

— Mais elle ne soupçonna pas qu'il pouvait s'agir de poison ?

— Non. Elle a bien prétendu que quelqu'un essayait d'empoisonner l'une de nous et nous avons examiné les chocolats pour voir si quelque chose y avait été ajouté.

— Et alors ?

— Nous n'avons rien remarqué.

— Vous estimez cependant qu'Elvira avait peur ?

— Pas à ce moment-là. Ce ne fut que plus tard, ici.

— Et que pouvez-vous me raconter au sujet de ce Guido ?

La jeune fille gloussa.

— Il était éperdument amoureux d'Elvira.

— Et toutes deux aviez l'habitude de lui donner des rendez-vous.

— Cela ne me gêne pas de vous l'avouer. Après tout, vous êtes la police. Ce genre d'histoires n'a aucun intérêt pour vous. La comtesse Martinelli était très stricte... ou s'imaginait l'être. Et, naturellement, nous usions de toutes sortes de ruses et étions toutes complices. Vous comprenez ?

— Et vous racontiez de jolis mensonges également.

— J'en ai bien peur. Mais comment agir autrement lorsque tout le monde est tellement soupçonneux ?

— Donc, vous avez rencontré Guido et tout le reste. Avait-il l'habitude de menacer Elvira ?

— Pas sérieusement.

— Rencontrait-elle quelqu'un d'autre ?

— Ça... je ne sais pas.

— Je vous en prie, Miss Bridget. Ce peut être vital.

— ... Il y avait bien un autre homme, je ne sais qui, mais j'ai deviné que mon amie était très attachée à lui.

— Elle le rencontrait souvent ?

— Je crois, oui. Elle me racontait qu'elle allait voir Guido, mais ce n'était pas toujours à lui qu'elle donnait rendez-vous.

— Aucune idée de qui il s'agissait ?

— Non.

La jeune fille paraissait cependant hésiter.

— Ce ne serait pas un conducteur de voitures de course, par hasard ? Un nommé Ladislas Malinowski ?

Bridget le regarda, stupéfaite.

— Vous êtes donc au courant ?

— Je ne me trompe pas ?

— Non... Je pense que c'est bien lui. Elvira possédait une de ses photos qu'elle avait découpée dans le journal. Elle la gardait dans son sac.

— Il aurait pu s'agir simplement d'un héros qu'elle admirait ?

— Possible, mais je ne le pense pas.

— L'a-t-elle rencontré ici, en Angleterre ?

— Je l'ignore. Vous savez, je ne suis plus au courant de tout ce qu'elle fait depuis que nous sommes rentrées d'Italie.

— Elle est venue à Londres chez le dentiste. Ou du moins, c'est ce qu'elle a affirmé. Au lieu de cela, elle s'est rendue chez vous. Elle a téléphoné à Mrs Mildred en invoquant l'excuse d'une vieille gouvernante qu'il lui fallait visiter.

Bridget gloussa discrètement.

— Ce n'était pas vrai, n'est-ce pas ? demanda le chef inspecteur en souriant. Où s'est-elle réellement rendue ?

— En Irlande.

— En Irlande ! Pourquoi ?

— Elle n'a pas voulu me le confier. Elle m'a seulement dit qu'il y avait quelque chose qu'elle devait découvrir.

— Savez-vous exactement où elle est allée ?

— Elle a parlé d'un pays qui s'appelle... Bally... quelque chose... Ballygowlan, je crois.

— Je vois. Vous êtes bien sûre qu'elle s'est rendue en Irlande ?

— Je l'ai accompagnée à l'aéroport. Elle a voyagé par la Aer Lingus.

— Quand est-elle revenue ?

— Le lendemain.

— Aussi par avion ?

— Oui.

— Vous en êtes certaine ?

— Non, mais je le présume.

— Avait-elle pris un billet aller et retour ?

— Non. Un simple aller.

— Il est donc possible qu'elle ait pu revenir par un autre moyen ?

— Oui, je le suppose.

— Elle aurait pu, par exemple, rentrer par le train postal irlandais ?

— Elle ne l'a pas spécifié.

— Mais elle n'a pas précisé non plus qu'elle était revenue par avion ?

— Non, mais pourquoi reviendrait-elle par le bateau et le train, alors qu'elle aurait pu revenir plus vite par avion ?

— Si elle a découvert rapidement ce qu'elle cherchait et qu'elle n'ait trouvé aucun refuge pour la nuit, elle a peut-être préféré prendre le train de nuit.

— C'est possible.

— Que s'est-il passé après son retour ? Est-elle venue vous voir ou vous a-t-elle téléphoné ?

— Elle a téléphoné.

— A quelle heure ?

— Dans la matinée. Vers onze heures, je crois, pour me demander si tout s'était bien passé.

— Et alors ?

— Je lui ai répondu que je ne savais plus que

faire, car sa cousine était inquiète. Elvira m'a répliqué qu'elle lui téléphonerait et inventerait une excuse.

— C'est là tout ce dont vous vous souvenez ?

— C'est tout.

La jeune fille restait sur ses gardes, pensant à Mr Bollard et au bracelet, mais elle n'en parlerait certainement pas.

Father devina qu'elle lui cachait quelque chose et il espéra que ce n'était rien d'important pour son enquête. Il demanda :

— A propos de ce qui tourmentait votre amie, vous en a-t-elle parlé ou lui avez-vous posé une question ?

— Je le lui ai demandé. Tout d'abord, elle m'a déclaré que je me faisais des idées, puis elle a fini par admettre qu'elle avait peur. Elle se trouvait en danger et le savait. Mais elle ne m'a rien appris de plus.

— Vous avez soupçonné sa peur le matin où elle rentrait d'Irlande ?

— Oui.

— Le matin où elle a pu revenir d'Angleterre par le courrier de nuit ?

— Je ne crois pas qu'elle ait pris le train. Pourquoi ne le lui demandez-vous pas directement ?

— Plus tard. Pour le moment, je ne veux pas attirer l'attention sur ce point. Cela pourrait rendre sa situation actuelle encore plus dangereuse.

Bridget le regarda, ahurie.

— Qu'entendez-vous par là ?

— Vous ne vous le rappelez probablement pas, Miss Bridget, mais c'est cette nuit-là que le train postal irlandais fut attaqué par des bandits.

— Insinuez-vous qu'Elvira se trouvait dans ce train et qu'elle ne m'en a pas parlé ?

— Non, mais il m'est venu à l'esprit qu'elle aurait pu voir quelque chose ou quelqu'un qui aurait un rapport avec le hold-up du train. Par exemple, apercevoir un homme qu'elle connaissait et, du coup, s'être trouvée dans une position dangereuse.

— Oh !... Quelqu'un qu'elle connaît est peut-être mêlé à ce hold-up ?

Le chef inspecteur se leva.

— Je pense que c'est tout, Miss Bridget, si vous êtes sûre de ne pas être capable de me fournir d'autres renseignements.

A nouveau, la vision de la bijouterie de Bond Street passa devant les yeux de Bridget qui répondit, d'une voix légèrement fêlée :

— Non.

— Je crois pourtant qu'il y a autre chose dont vous ne m'avez pas parlé.

Bridget hésita puis, se décidant brusquement :

— Voyons... il y a bien ce notaire qu'elle est allée consulter... Il est le dépositaire de sa fortune. Elle cherchait à découvrir je ne sais quoi.

— Connaissez-vous le nom de ce notaire ?

— Egerton... Forbes Egerton et autre chose. Un tas de noms.

— Elle souhaitait découvrir quelque chose, dites-vous ?

— Elle voulait apprendre quelle somme elle possédait.

Le chef inspecteur la regarda, surpris.

— Vraiment ? Elle l'ignorait ?

— On ne lui en a jamais parlé. Les grandes personnes estiment qu'à notre âge, il n'est pas bon de connaître l'état de notre fortune, surtout si elle est importante.

— Elvira tenait à le savoir expressément ?

— Oui. Elle pensait que c'était très important pour elle.

— Je vous remercie, Miss Bridget. Vous m'avez beaucoup aidé.

CHAPITRE XXIII

Richard Egerton relut la carte posée devant lui et reporta son regard sur le large visage du chef inspecteur Davy.

— Une affaire étrange.

— Oui, Monsieur, une affaire très étrange.

— L'hôtel *Bertram* et le brouillard. J'imagine qu'un temps pareil vous donne du travail généralement ?

— Il ne s'agit pas, cette fois, d'un sac volé mais d'un attentat, Monsieur.

— D'où tirait-on sur Miss Blake ?

— A cause du brouillard, nous ne pouvons le deviner. Miss Blake elle-même est incapable d'affirmer quoi que ce soit. Mais nous pensons que l'homme se cachait dans le terrain vague, voisin de l'hôtel.

— Vous dites qu'il lui a tiré dessus deux fois ?

— Oui. Et ce fut le deuxième coup qui atteignit le portier.

— Un brave, il me semble ?

— Sa carrière militaire le prouvait déjà. Il était irlandais.

— Comment s'appelle-t-il ?

— Michael Gorman.

— Michael Gorman ? (L'homme d'affaires se tut, fronça les sourcils et reprit :) Un moment, j'ai cru que le nom me rappelait quelque chose.

— Un nom très commun. Toujours est-il qu'il a sauvé la vie de la jeune fille.

— Au fait, quel est le but de votre visite, inspecteur ? Je n'ai vu Elvira que deux fois depuis sa naissance et je ne pense pas...

— On m'a appris qu'elle était inquiète et convaincue que sa vie était en danger. Vous a-t-elle donné cette impression lors de sa visite ?

— Je n'irais pas jusque-là, bien qu'elle ait eu une ou deux réflexions qui m'intriguèrent un peu.

— Des réflexions de quel genre ?

— Elle voulait savoir qui bénéficierait de son argent si elle venait à mourir brusquement.

— Ah ! Elle y pensait donc ?

— Elle avait sûrement quelque chose en tête, mais j'ignore quoi. Elle voulait aussi connaître le montant de son héritage.

— Beaucoup d'argent, j'imagine ?

— Une très belle fortune, inspecteur.

— Pourquoi vous a-t-elle posé ces questions, à votre avis ?

— Allez deviner ! Elle a aussi fait allusion à l'éventualité d'un mariage.

— Avez-vous eu l'impression qu'un homme était mêlé à l'histoire ?

— Je n'ai aucune certitude, bien entendu, mais...
oui, j'ai tout de suite pensé à cela. C'est ce qui a lieu
généralement. Luscombe, c'est son tuteur, n'a pas
semblé partager mon opinion. Toutefois, il m'a paru
préoccupé lorsque je lui ai suggéré qu'il devait y
avoir un homme dans la vie de sa pupille et probablement un garçon qui n'était pas de son milieu

— Pas du tout de son milieu, en effet.

— Vous savez donc de qui il s'agit ?

— Ladislas Malinowski.

— Le pilote de voitures de course ? Vraiment ! Un
beau casse-cou ! Les femmes tombent facilement
amoureuses de lui. Je me demande comment il a
rencontré Elvira ? Attendez, il se trouvait à Rome, il
y a environ deux mois, c'est probablement là qu'ils se
sont connus.

— Probablement. A moins que sa mère ne la lui
ait présentée ?

— Bess ? Je ne pense pas.

Davy toussa.

— On dit que lady Sedgwick et Malinowski sont
très intimes.

— On le murmure. Leur intimité tient peut-être à
leur même façon d'envisager l'existence. Mais de
toute manière, Bess et sa fille ne se rencontrent
jamais.

— C'est ce que lady Sedgwick m'a confirmé. Miss
Blake a-t-elle d'autres parents ?

— Aucun. Mrs Melford qu'Elvira appelle « cousine Mildred » n'est que la cousine du colonel Luscombe.

— Vous dites que Miss Blake a fait allusion à un

mariage éventuel ? Il est peu probable qu'elle soit déjà mariée... je suppose ?

— Elle n'est pas encore en âge et, de toute manière, il lui faudrait l'accord de ses tuteurs.

— Pratiquement, oui. Mais les jeunes n'attendent pas toujours les permissions.

— Je sais. Tout à fait regrettable, à mon avis.

— Et, une fois qu'ils sont mariés, il ne reste qu'à s'incliner. J'imagine que si elle était mariée et venait à mourir subitement, son mari hériterait ?

— Cette histoire de mariage me paraît inconcevable ! Elvira a été élevée d'une manière très stricte...

Il s'interrompit devant le sourire ironique du chef inspecteur.

— Quelles que soient les précautions avec lesquelles Elvira avait été élevée, elle a quand même réussi à lier connaissance avec Ladislas Malinowski.

Le notaire remarqua, gêné :

— Il est vrai que sa mère s'enfuit lorsqu'elle était encore très jeune...

— C'est possible, toutefois sa fille est différente. Elle a peut-être les mêmes aspirations, mais elle utilise des tactiques différentes.

— Vous ne pensez tout de même pas...

— Pour le moment, je ne pense encore rien.

CHAPITRE XXIV

Ladislas Malinowski regarda alternativement les deux policiers puis, rejetant la tête en arrière, éclata de rire.

— Très amusant ! Vous êtes tellement solennels que vous ressemblez à des hiboux ! Il est inadmissible que vous me fassiez venir ici pour me poser des questions. Vous n'avez rien contre moi, rien !

— Nous pensons que vous pourriez nous aider dans nos recherches, Mr Malinowski, répondit le chef inspecteur Davy, d'une voix doucereuse. Vous avez une voiture, Mercedes-Otto immatriculée FAN 2266.

— Y a-t-il une raison qui s'opposerait à ce que je possède une telle voiture ?

— Aucune raison, Mr Malinowski. Il subsiste seulement un léger doute quant au numéro matricule. Votre voiture a été rencontrée sur l'autoroute M. 7 avec un numéro différent.

— Ridicule ! Il devait s'agir d'une autre voiture.

— Il n'y en a pas tant de cette catégorie et de cette

marque. Nous avons collationné toutes celles qui sont
en circulation.

— J'imagine que vous croyez les sottises que vos
policiers de la route vous racontent ! Rien que pour
rigoler, dites-moi donc où se trouvait cette mysté-
rieuse auto ?

— Non loin de Bedhampton, durant la nuit du
hold-up du courrier irlandais.

— Vous m'amusez !

— Possédez-vous un revolver ?

— Certainement, j'ai un revolver et un pistolet
automatique, avec des permis de port d'arme pour
chacun d'eux.

— Vous les détenez tous les deux ?

— Evidemment.

— Je vous ai déjà prévenu, Mr Malinowski.

— Le fameux avertissement de la police ! Tout ce
que vous allez dire sera écrit et utilisé contre vous
lors de votre jugement.

— Ce ne sont pas là les mots exacts, répondit
paisiblement Father. Utilisé oui, mais pas contre
vous. Vous ne souhaitez pas modifier votre déclara-
tion ?

— Non.

— Et vous êtes sûr que vous ne voulez pas qu'on
appelle votre avocat ?

— Je n'aime pas les avocats.

— Libre à vous. Où se trouvent vos armes à feu
en ce moment ?

— Je pense que vous ne l'ignorez pas, chef inspecteur. Le petit pistolet est dans le coffre à gants de ma
voiture, la Mercedes-Otto dont le numéro matricule

est, comme je vous le disais, FAN 2266. Le revolver est dans un tiroir, chez moi.

— Vous avez parfaitement raison en ce qui concerne celui qui est chez vous, mais l'autre, le petit revolver, ne se trouve pas dans votre voiture.

— Mais si, voyons !

— Non. Il a pu y être, mais il ne s'y trouve plus à présent. Est-ce celui-ci, Mr Malinowski ?

Il posa sur la table un petit automatique. L'air profondément étonné, Ladislas Malinowski le prit.

— Oui, c'est celui-là ! Ainsi, c'est vous qui l'avez chipé dans ma voiture ?

— Je vous répète qu'il n'était pas dans votre voiture. Nous l'avons trouvé ailleurs.

— Où ?

— Dans un terrain vague près de Pond Street qui, comme vous devez le savoir, est une rue voisine de Park Lane. Il a pu y être jeté par un homme qui descendait cette rue... en courant, peut-être ?

Ladislas Malinowski haussa les épaules.

— Ça n'a rien à voir avec moi, j'ai encore vu cette arme dans ma voiture, il y a un jour ou deux. On ne vérifie pas constamment si les choses sont toujours bien à la même place, n'est-ce pas ?

— L'ennuyeux, Mr Malinowski, est que ce revolver a servi à tuer Michael Gorman, la nuit du 26 novembre.

— Michael Gorman ? Je ne connais pas de type de ce nom.

— Le portier de l'hôtel *Bertram*.

— Ah ! oui ! Celui qui s'est fait descendre. J'ai lu l'histoire dans les journaux. Et vous dites que c'est avec mon revolver qu'on l'a abattu ?

— C'est ce que pensent les experts. Vous devez connaître assez bien les armes à feu pour savoir que leur témoignage est indiscutable.

— Vous essayez de me mettre cette affaire sur le dos, hein ? Je sais de quoi vous êtes capables, vous autres, les policiers !

— Je constate que vous semblez connaître très bien la police de ce pays, Mr Malinowski ?

— Etes-vous en train de suggérer que j'ai tué Michael Gorman ?

— Pour le moment, nous vous réclamons simplement une déposition. Aucune accusation n'a été portée, que je sache ?

— Mais vous pensez... que j'ai descendu ce pantin grotesque. Pourquoi l'aurais-je fait ? Je ne lui devais pas d'argent, je n'avais rien contre lui.

— C'est sur une jeune fille qu'on tirait. Gorman courut vers elle pour la protéger et se fit tuer à sa place.

— Une jeune fille ?

— Oui, et je pense qu'elle ne vous est pas inconnue. Miss Elvira Blake.

Incrédule, Malinowski s'écria :

— Voulez-vous dire que quelqu'un a essayé de tuer Elvira avec ce pistolet et que ce quelqu'un ce serait moi ?

— Vous auriez pu vous quereller ?

— Pourquoi irais-je tuer la fille que je dois épouser ?

— Noterons-nous dans votre déposition que vous comptez épouser Miss Elvira Blake ?

Le garçon hésita un moment puis déclara en haussant les épaules :

— Elle est encore très jeune. Ce n'est donc pas absolument certain

— Peut-être, après avoir promis de vous épouser, a-t-elle changé brusquement d'avis ? Elle avait peur de quelqu'un, Mr Malinowski. Etait-ce de vous ?

— Pourquoi voudrais-je sa mort ? Ou bien, je suis amoureux d'elle et je l'épouse, ou bien je ne veux pas l'épouser et rien ne peut m'y forcer. Aussi simple que cela. Pour quelles raisons la tuerais-je ?

Davy attendit un moment avant d'ajouter :

— Il y a sa mère, bien sûr.

— Quoi ? (Malinowski bondit.) Bess, tuer sa propre fille ? Vous êtes fou ! Pourquoi Bess ferait-elle une chose pareille ?

— Etant sa plus proche parente, elle hériterait d'Elvira Blake en cas de décès.

— Bess, tuer pour de l'argent ! Allons donc ! Elle touche assez de dollars de son mari américain ! Suffisamment, en tout cas.

— Suffisamment n'est pas la même chose qu'une grosse fortune. Des mères ont tué leurs enfants pour cette raison sordide, et des enfants ont agi de même.

— Je vous répète que vous êtes fou !

— Vous déclarez que vous allez peut-être épouser Miss Blake. Peut-être l'avez-vous déjà épousée ? S'il en était ainsi, vous seriez son héritier.

— Quelle histoire plus grotesque pourriez-vous imaginer ? Non, je ne suis pas marié avec Elvira. C'est une jolie fille. Je l'estime et je sais qu'elle est amoureuse de moi. Je l'ai connue en Italie. Nous avons flirté... mais c'est tout. Rien de plus, vous comprenez ?

— Vraiment ? Pourtant, il y a seulement un instant, vous affirmiez qu'elle était la jeune fille que
vous deviez épouser.

— Oh ! ça...

— Etait-ce vrai ?

— Je l'ai dit parce que ça paraît plus respectable.
On est puritain dans votre pays.

— Ce n'est certainement pas une explication satis-
faisante, Mr Malinoswki.

— Vous ne comprenez donc rien du tout ? Bess et
moi sommes des amis très intimes... Je ne voulais pas
le dire, c'est pourquoi j'ai suggéré que la fille et
moi... étions fiancés. Cela paraît plus correct.

— Ce n'est pas du tout mon sentiment. Vous avez
d'assez gros ennuis d'argent, en ce moment, n'est-ce
pas ?

— Mon cher inspecteur, j'ai toujours des ennuis
d'argent et c'est bien triste.

— Toutefois, j'ai appris qu'il y a seulement quelques mois vous dépensiez sans regarder.

— J'ai eu de la chance au jeu. Je suis joueur, je
l'avoue.

— Je vous crois facilement sur ce point. Où avez-
vous eu tellement de chance au jeu ?

— Vous ne le saurez pas et cela ne vous surprendra
dra sûrement pas ? Est-ce tout ce que vous vouliez
me demander ?

— Pour le moment, oui. Vous avez identifié le
pistolet comme étant le vôtre. Cela nous aidera beaucoup.

— Je ne comprends pas... je ne puis imaginer. (Il
tendit la main.) Donnez-le-moi, je vous prie.

— J'ai bien peur que nous ne puissions vous le

rendre pour le moment. Je vais vous rédiger un reçu.

Il s'exécuta et tendit le papier à Malinowski qui sortit en claquant la porte.

— Un type nerveux, remarqua Father.

— Vous n'avez pas insisté sur le numéro de sa voiture, Sir ?

— Non. Je souhaite l'inquiéter, mais pas trop. Nous lui fournirons des raisons valables de se faire des soucis, mais une à la fois... et c'est déjà un bon début.

— Le patron désire vous voir dès que vous aurez un moment de libre, Sir.

Le chef inspecteur se rendit dans le bureau de son supérieur.

— Ah ! Father, vous avez du nouveau ?

— Oui. Nous progressons... pas mal de poissons déjà dans le filet. Des petites prises, bien sûr, mais nous approchons de la grosse pièce. L'engrenage est en marche...

— Bravo, Fred.

CHAPITRE XXV

Miss Marple sortit du métro à la station Paddington et vit le chef inspecteur Davy qui guettait sa venue sur le quai.

— C'est très aimable à vous, Miss Marple.

Il lui soutint le bras et la mena à la sortie où une voiture les attendait. Le chauffeur ouvrit la portière et ils s'engouffrèrent dans le véhicule qui démarra.

— Où m'emmenez-vous, inspecteur ?

— A l'hôtel *Bertram*.

— Encore l'hôtel *Bertram* ! Pourquoi ?

— La réponse officielle est : parce que la police pense que vous pouvez lui être utile dans ses recherches.

— Assez familier mais plutôt sinistre. C'est souvent le prélude à une arrestation.

Father sourit.

— Je ne vais pas vous arrêter, Miss Marple. Vous avez un alibi.

La vieille demoiselle resta un moment silencieuse avant de déclarer :

— Je vois.

Ils finirent le parcours en silence. A leur entrée dans le hall, Miss Gorringe leva les yeux de ses livres, mais le policier conduisit directement Miss Marple vers l'ascenseur.

— Deuxième étage.

Arrivés au deuxième, Father entraîna sa compagne le long du couloir. Alors qu'il ouvrait la porte du numéro 18, Miss Marple remarqua :

— C'est la chambre que j'occupais.

— Oui.

Miss Marple s'assit dans le fauteuil.

— Une pièce très confortable, remarqua-t-elle en jetant un coup d'œil alentour.

— Ici, on sait ce qu'est le confort.

— Vous paraissez fatigué, inspecteur ?

— Pas mal d'allées et venues. En fait, je reviens tout juste d'Irlande.

— Vraiment ! De Ballygowlan ?

— Comment avez-vous pu deviner ? Je suppose que Michael Gorman vous a dit qu'il était de ce pays ?

— Pas exactement.

— Alors, de quelle façon... ?

— Mon Dieu ! que c'est embarrassant ! Une conversation que j'ai surprise. Je n'essayais pas d'écouter, je vous assure. Je me trouvais dans une pièce ouverte à tout le monde. J'aime écouter les gens parler et s'ils ne baissent pas la voix pour s'entretenir, on peut supposer qu'ils se moquent d'être entendus. Mais les conversations peuvent bifurquer et, com-

mencées sur un ton badin, prendre une tournure plus
sérieuse ou intime. Parfois, les personnes qui dis-
cutent, emportées par leur passion, ne réalisent plus
qu'elles se trouvent dans un lieu public. Que doit
faire l'auditeur involontaire ? Tousser ? Se lever et
disparaître ? C'est, de toute manière, très gênant.

Le chef inspecteur jeta un coup d'œil à sa
montre.

— Ecoutez, Miss, j'aimerais en apprendre davantage, mais le chanoine Pennyfather doit arriver d'un
moment à l'autre. Cela ne vous ennuie pas d'attendre
un moment, ici ?

La vieille demoiselle le rassura et le policier sortit.

Le chanoine poussa les portes battantes et se
retrouva dans le hall du *Bertram*. Il fronça légèrement les sourcils se demandant ce qui lui semblait
différent ce jour-là, dans le vieux décor familier.
Peut-être avait-il été repeint ? Non, ce n'était pas
cela, mais il y avait sûrement quelque chose. Il ne
parvint pas à prendre conscience de l'absence du
grand portier irlandais remplacé par un garçon de
stature ordinaire.

De sa démarche hésitante, le chanoine s'approcha
du bureau de réception. Miss Gorringe le salua.

— Chanoine Pennyfather ! Quelle agréable surprise ! Venez-vous chercher vos bagages ? Ils sont
prêts. Si vous nous l'aviez demandé, nous aurions pu
vous les envoyer chez vous ?

— Merci. Merci beaucoup. Vous êtes très aimable,
Miss Gorringe. Mais comme je devais venir à
Londres aujourd'hui, j'ai pensé que je pourrais m'en
charger.

— Nous nous sommes fait beaucoup de souci à votre sujet. Cette disparition ! Personne ne pouvait vous retrouver. Vous avez été renversé par une voiture, paraît-il ?

— Oui. Les gens conduisent bien trop vite à l'heure actuelle. Notez que je ne m'en souviens pas car le choc m'a dérangé la tête. Plus on avance dans la vie, moins on a de mémoire... Comment allez-vous, vous-même, Miss Gorringe ?

— Très bien, merci.

A ce moment, le chanoine Pennyfather réalisa que Miss Gorringe, elle aussi, était différente. Sa coiffure, peut-être ? Non. Son apparence restait la même. Un peu amincie ? Ou bien... oui... Miss Gorringe avait l'air préoccupé. Le chanoine n'était pas le genre de personne capable de remarquer si son entourage a l'air soucieux ou non, mais il venait de noter ce détail chez Miss Gorringe, probablement parce qu'elle affichait habituellement et depuis toujours la même attitude sereine devant les clients.

— Vous n'avez pas été malade, j'espère ? Vous me semblez légèrement amaigrie.

— Nous avons eu beaucoup de soucis récemment.

— Vraiment ? J'en suis désolé. Ce n'est pas à cause de ma disparition, j'espère ?

— Oh ! non ! Nous étions inquiets, bien sûr, mais dès que nous avons eu de vos nouvelles... Non... c'est cette... peut-être ne l'avez-vous pas appris par les journaux ? Gorman, notre portier, a été tué.

— Oui, oui. Je me souviens, à présent. Les journaux ont même parlé d'un meurtre.

Miss Gorringe sursauta à ce mot brutal.

— Terrible... ! Un tel événement ne s'est jamais produit au *Bertram*. Nous ne sommes pas le genre d'hôtel où cela arrive !

— J'en suis persuadé.

— Naturellement, cela n'a pas eu lieu à l'intérieur de l'hôtel, mais dans la rue.

— En somme, cela n'a presque rien à voir avec le *Bertram*.

— Mais si ! La police a interrogé tout le monde, car c'est notre portier qui a été tué.

— Ainsi, vous avez un nouveau portier, à présent ?

— Oui, bien que je ne sois pas sûre qu'il fasse vraiment l'affaire. Il n'est pas exactement du genre auquel nous sommes habitués. Mais, il nous a fallu trouver quelqu'un très vite.

— Je me rappelle parfaitement cette histoire maintenant ! s'exclama le chanoine, se souvenant enfin de ce qu'il avait lu dans le journal une semaine plus tôt. Mais, voyez, j'étais persuadé que la victime était une jeune fille ?

— Sans doute voulez-vous parler de la fille de lady Sedgwick ? Vous l'avez rencontrée ici, avec son tuteur, le colonel Luscombe. Elle a été attaquée, en effet, dans le brouillard. On voulait probablement lui voler son sac à main. On lui a tiré dessus une première fois et, Gorman, qui avait été un bon soldat, était resté un homme courageux, il se précipita, se mit devant elle et reçut la deuxième balle destinée à la jeune fille

— Quelle pitié ! chuchota le chanoine en se signant.

— Cela nous place dans une situation délicate

avec ces messieurs de la police qui entrent et sortent
sans arrêt. C'est normal, je suppose, mais nous
n'aimons guère ce genre de remue-ménage, bien que
le chef inspecteur Davy et le sergent Wadell se mon-
trent très corrects et compréhensifs.

— Oui, oui.

— Avez-vous été hospitalisé ?

— Non, des gens charmants m'ont recueilli chez
eux et m'ont soigné. Ils se sont montrés vraiment
charitables. Il est réconfortant de penser qu'il existe
encore de la bonté et de la générosité dans notre
monde. Vous ne trouvez pas ?

— Oh ! si ! Surtout quand on sait l'augmentation
ininterrompue de la criminalité. Tous ces jeunes gens
horribles qui dévalisent les banques et agressent les
passants ! (Elle tourna la tête et ajouta :) Le chef
inspecteur descend les escaliers ; je crois qu'il veut
vous parler.

— Je ne vois pas pourquoi. Il est déjà venu me
voir chez moi. J'ai l'impression qu'il a été déçu de ce
que je ne puisse pas lui apprendre quelque chose
d'utile pour son enquête.

— Vous n'avez pas pu ?

— Je ne me souviens de rien. L'accident a eu lieu
près d'un endroit appelé Bedhampton, et je ne devine
pas ce que j'y faisais.

Davy s'approcha d'eux.

— Vous voici donc, Mr le Chanoine ! Vous vous
sentez bien ?

— Oui, merci, quoique j'aie tendance à avoir des
maux de tête fréquents. Le médecin m'a recommandé
de ne pas trop me fatiguer. Je ne me souviens toujours pas de ce dont je devrais me souvenir et le

docteur m'a averti que la mémoire ne me reviendrait probablement jamais.

— Il ne faut pas cesser d'espérer, le réconforta Davy, tout en le tirant à l'écart du bureau. Il y a une petite expérience que je voudrais vous demander d'essayer. Cela ne vous ennuie pas de m'aider, j'espère ?

Lorsque le chef inspecteur ouvrit la porte du numéro 18, Miss Marple était toujours assise dans le fauteuil, face à la fenêtre. Elle remarqua :

— Il y a beaucoup de monde dans la rue, aujourd'hui. Plus que de coutume.

— C'est une voie de passage très empruntée.

— Je ne voulais pas parler des passants, mais de ces hommes si affairés... réparation de la chaussée, une équipe du service téléphonique... on décharge un camion de marchandises.

— Et qu'en déduisez-vous, Miss Marple ?

— Je n'ai pas dit que cela entraînait une déduction.

Father la regarda un moment en silence, puis déclara :

— J'ai besoin de votre aide.

— C'est pour cela que je suis ici. Que voulez-vous que je fasse ?

— Je voudrais que vous répétiez exactement les gestes que vous avez accomplis, la nuit du 19 novembre. Vous dormiez... vous vous êtes réveillée par suite d'un bruit anormal qui a troublé votre sommeil. Vous avez allumé la lumière, regardé l'heure, vous vous êtes levée, avez ouvert la porte et jeté un coup d'œil à l'extérieur. Pouvez-vous recommencer tout cela ?

— Certainement.

Miss Marple se leva et se dirigea vers le lit.

— Un moment.

L'inspecteur s'approcha de la cloison contre laquelle il frappa.

Le chef inspecteur frappa avec vigueur, puis consulta sa montre :

— J'ai demandé au chanoine Pennyfather de compter jusqu'à dix. Allez-y, Miss Marple.

Miss Marple alluma la lampe de chevet, tourna la tête vers un réveil imaginaire, se leva, marcha jusqu'à la porte, l'ouvrit et regarda au-dehors. Sur sa droite, quittant juste sa chambre, le chanoine Pennyfather s'éloignait vers les escaliers. Arrivé sur le palier, il descendit les marches. Miss Marple se retourna, la respiration courte.

— Eh bien ? demanda Davy.

— L'homme que j'ai vu cette nuit-là ne peut pas avoir été le chanoine Pennyfather. Pas si celui qui vient de sortir est le vrai.

— Je croyais que vous aviez dit...

— Je sais. Il ressemblait au chanoine Pennyfather. Ses cheveux, ses habits... Mais il ne marchait pas de la même manière. Je crois... je crois qu'il s'agissait d'un homme plus jeune. Je suis désolée, vraiment désolée de vous avoir induit en erreur. Mais ce n'était pas le chanoine Pennyfather que j'ai aperçu cette nuit-là. J'en suis sûre.

— Absolument sûre, Miss Marple ?

— Oui. Je suis navrée de m'être trompée.

— Vous ne vous êtes pas trompée de beaucoup.

Le chanoine Pennyfather est bien revenu à l'hôtel,
cette nuit-là. Personne n'a remarqué son entrée, parce
qu'il est arrivé après minuit. Il a monté l'escalier, a
ouvert la porte de sa chambre, et est entré. A partir
de là, ce qu'il vit ou fit, nous n'en savons rien, car il
ne peut ou ne veut pas nous le dire. S'il existait
seulement un moyen pour qu'il retrouve la mémoire...

— Il y a bien ce mot allemand.

— Quel mot allemand ?

— Malheureusement, je l'ai oublié à présent, mais...

On frappa à la porte.

— Puis-je entrer ? (Le chanoine se montra.) Etait-
ce satisfaisant ?

— Des plus satisfaisant. Je disais justement à Miss
Marple... vous connaissez Miss Marple ?

— Oui, oui, répondit le chanoine un peu incertain.

— Je disais justement à Miss Marple de quelle
façon nous avons reconstitué vos faits et gestes. Vous
êtes rentré à l'hôtel après minuit. Vous êtes rentré
dans votre chambre et...

Miss Marple s'exclama :

— Je me souviens du mot allemand, à présent :
Doppelgänger (1) !

Le chanoine poussa un cri.

— Mais bien sûr. Bien sûr ! Comment ai-je pu
oublier ? Vous avez raison, vous savez. Après ce film
Les Murs de Jéricho, je suis revenu ici, suis monté à
ma chambre, ai ouvert la porte et vu... comme c'est
extraordinaire ! je me suis vu assis sur une chaise, en

(1) Sosie.

face de moi ! Comme vous dites, chère lady, un *doppelgänger*. Etonnant ! Et ensuite... voyons voir...

Il fronça les sourcils, cherchant à se souvenir.

— Et ensuite, continua Father, surpris de vous voir apparaître, alors qu'il vous croyait à Lucerne, l'inconnu vous a frappé sur la tête.

CHAPITRE XXVI

Le chanoine Pennyfather mis dans un taxi et dirigé sur le British Museum, Miss Marple, installée dans le hall par le chef inspecteur, avait été priée de l'y attendre pendant quelques minutes. La vieille demoiselle profita de l'occasion pour regarder autour d'elle et réfléchir.

L'hôtel *Bertram*. Tant de souvenirs. Le passé se mêlait au présent. Une phrase française lui revint à l'esprit : *Plus ça change, plus c'est la même chose.* Elle inversa les mots : *Plus c'est la même chose, plus ça change.* Toutes deux vraies, pensa-t-elle.

Elle se sentait triste... pour l'hôtel *Bertram* et pour son propre passé. Elle se demanda ce que le chef inspecteur espérait d'elle, à présent ? Elle devinait en lui l'excitation que l'on éprouve en approchant du but. C'était le jour J du chef inspecteur Davy.

La vie du *Bertram* continuait, selon le rythme habituel. Non... pas exactement. On sentait une différence, bien qu'il fût presque impossible de préciser d'où elle provenait.

Les portes s'ouvrirent devant le chef inspecteur qui s'approcha de la vieille demoiselle.

— Tout va bien ?

— Où m'emmenez-vous à présent ?

— Rendre visite à lady Sedgwick.

— Est-elle ici ?

— Oui. Avec sa fille.

Miss Marple se leva, jetant un coup d'œil sur ce qui l'entourait et murmura :

— Pauvre *Bertram !*

— Que voulez-vous dire par là ?

— Je crois que vous comprenez.

— De votre point de vue, peut-être.

— C'est toujours triste lorsqu'une œuvre d'art doit être détruite.

— Vous appelez cet endroit une œuvre d'art ?

— Certainement. Et vous aussi.

— Je comprends...

— C'est comme dans une allée où les sureaux auraient poussé partout. Rien d'autre à faire que de les arracher tous.

— Je ne m'y connais pas beaucoup en vieux jardins, mais je partage votre manière de voir.

Ils empruntèrent l'ascenseur et suivirent un couloir jusqu'à l'appartement que lady Sedgwick et sa fille occupaient. Le chef inspecteur frappa à la porte. On lui répondit d'entrer. Il entra, Miss Marple sur les talons.

Bess Sedgwick était assise près de la fenêtre, un livre ouvert, abandonné sur ses genoux.

— C'est donc vous, chef inspecteur ?

Ses yeux se posèrent un moment sur la vieille

demoiselle et revinrent vers le policier avec surprise.

— Je vous présente Miss Marple, expliqua Davy. Miss Marple... lady Sedgwick.

— Je vous ai déjà vue. Vous étiez avec Selina Hazy, l'autre jour, n'est-il pas vrai ? Asseyez-vous, je vous prie. (Elle se tourna ensuite vers Davy.) Avez-vous des nouvelles de l'homme qui a tiré sur Elvira ?

— Pas exactement des nouvelles.

— Je doute que vous en ayez jamais. Avec un tel brouillard, d'étranges individus se faufilent dans les rues à l'affût des femmes seules.

— Comment va votre fille ?

— Oh ! elle est complètement remise.

— Elle reste avec vous ?

— Oui. J'ai prévenu son tuteur, le colonel Luscombe, qui a été ravi de cette décision. (Elle rit brusquement.) Le cher vieux garçon ! Il a toujours essayé d'en arriver là.

— Il avait peut-être raison.

— Non, il n'a pas raison. Pour le moment, c'est possible. (Elle regarda par la fenêtre avant d'ajouter :) J'ai entendu dire que vous aviez arrêté un de mes amis... Ladislas Malinowski... Sous quelle inculpation ?

— Nous ne l'avons pas arrêté. Il nous aide seulement dans la marche de notre enquête.

— J'ai envoyé mon avocat pour s'occuper de lui.

— Une sage initiative. Sans le conseil d'un avocat on peut facilement lâcher une parole malheureuse.

— Même si l'on est innocent ?

— C'est peut-être encore plus important dans ce cas.

— Vous êtes assez cynique, il me semble ? A propos, sur quoi l'interrogez-vous ? Puis-je vous le demander ?

— D'abord, nous voudrions savoir quel fut son emploi du temps le soir où Michael Gorman a été tué ?

Bess Sedgwick se dressa brusquement.

— Auriez-vous la ridicule idée de penser que c'est Ladislas qui a tiré sur Elvira ? Ils ne se connaissaient même pas !

— Il aurait pu s'agir de lui. Sa voiture se trouvait juste au coin de la rue.

— Grotesque !

— Jusqu'à quel point ces coups de feu vous ont-ils ennuyée, lady Sedgwick ?

Elle eut l'air surpris.

— Il me semble qu'apprendre que ma fille vient d'échapper de peu à la mort...

— Je ne voulais pas parler de cela. Je précise : jusqu'à quel point la mort de Michael Gorman vous a-t-elle touchée ?

— Je suis désolée pour lui.

— C'est tout ?

— Que voulez-vous insinuer ?

— Vous le connaissiez, n'est-ce pas ?

— Naturellement. Il travaillait ici.

— Je suppose que vous le connaissiez un peu mieux que cela, ai-je raison ?

— Ce qui signifie ?

— Voyons, lady Sedgwick, il était votre mari ?

Elle ne répondit pas tout de suite.

— Vous êtes au courant de beaucoup de choses, inspecteur. (Elle soupira et s'appuya contre le dossier de sa chaise.) Je ne l'avais pas revu... depuis pas mal d'années... Vingt ans, au moins... Et un jour, regardant par la fenêtre, je l'ai reconnu.

— Et lui ?

— Lui aussi. A la réflexion, c'était surprenant, car nous n'avons vécu ensemble qu'une semaine. Ma famille nous ayant découverts a payé Micky et m'a ramenée à la maison. J'étais très jeune lorsque je me suis enfuie avec lui. Je ne savais rien de la vie. Une fille idiote, la tête pleine d'idées romantiques ! Il était mon héros, surtout à cause de la façon dont il montait à cheval. Il ne connaissait pas la peur. Il était beau et gai, avec un bagou d'Irlandais ! Les premières vingt-quatre heures suffirent à me désillusionner. Il buvait, se montrait grossier et brutal. Quand ma famille est arrivée pour me reprendre, je fus soulagée. Je n'ai jamais cherché à le revoir.

— Votre famille savait-elle que vous étiez mariée avec lui ?

— Non.

— Vous ne le leur avez pas dit ?

— Je ne m'en doutais pas, moi-même.

— Comment cela ?

— Nous nous sommes mariés à Ballygowlan, mais lorsque mes parents sont venus me chercher, Micky m'a annoncé que notre mariage avait été une blague arrangée par ses amis et lui. A cette époque, je le crus bien capable d'une telle mise en scène, soit qu'il voulût extorquer de l'argent à mes parents, soit qu'il sût avoir commis un acte illégal en épousant une mineure. En tout cas, je n'ai pas douté qu'il disait vrai... pas à ce moment-là, du moins.

— Et plus tard ?

Elle semblait perdue dans ses souvenirs.

— Ce ne fut pas avant... un assez grand nombre d'années que je me demandai brusquement, un jour, si après tout, je ne serais pas mariée à Michael Gorman.

— Au vrai, lorsque vous avez épousé lord Coniston, vous étiez bigame.

— Oui. De même, lorsque j'ai épousé Johnnie Sedgwick, puis plus tard, mon mari américain, Ridgeway Becker. (Elle regarda le chef inspecteur et rit.) Ça paraît vraiment ridicule !

— N'avez-vous jamais pensé à divorcer ?

— C'était un peu comme un rêve idiot, toute cette histoire. Pourquoi bouleverser le passé ? Je l'avais avoué à Johnnie, naturellement.

Sa voix s'adoucit en prononçant ce nom.

— Et quelle fut sa réaction ?

— Cela lui était égal. Pas plus Johnnie que moi n'étions préoccupés des lois.

— La bigamie entraîne certains ennuis, lady Sedgwick.

Elle le regarda et rit.

— Qui s'inquiéterait de ce qui s'était passé en Irlande, il y a tant d'années ? Toute l'affaire était terminée. Micky, ayant pris son argent, avait disparu. Ne comprenez-vous pas ? Un simple petit incident stupide, un incident que je voulais oublier.

— Seulement, un jour de novembre, Michael Gorman réapparaît et commence à vous faire chanter.

— Qui a dit qu'il me faisait chanter ?

Lentement, les yeux de Father se tournèrent vers la vieille lady, assise très droite, sur sa chaise.

— Vous ? (Lady Sedgwick regarda Miss Marple, étonnée.) Que pouvez-vous savoir de cette histoire ?

Sa voix était plus curieuse qu'accusatrice.

— Les fauteuils de cet hôtel ont des dossiers très hauts, expliqua Miss Marple. Ils sont très confortables. Je me trouvais assise dans l'un d'eux, face à la cheminée, dans le bureau du rez-de-chaussée. Je me reposais un moment avant de sortir. Vous êtes entrée pour écrire une lettre. Je suppose que vous n'avez pas réalisé qu'il y avait quelqu'un dans la pièce. Ainsi... j'ai entendu votre conversation avec Gorman.

— Vous avez écouté ?

— Naturellement. Pourquoi pas ? C'est un lieu public. Lorsque vous avez ouvert la fenêtre et appelé l'homme qui se trouvait dehors, je n'avais pas la moindre idée que vous alliez entretenir une conversation privée avec lui.

Bess la contempla un moment et hocha la tête lentement.

— Assez juste. Mais cependant, vous avez mal compris ce que vous avez entendu. Micky n'a pas tenté de chantage. L'idée l'aura peut-être effleuré... mais je l'ai mis tout de suite sur ses gardes ! (Elle sourit coquettement.) Je l'ai effrayé !

— C'est vrai. Vous l'avez menacé de mort. Vous avez mené l'affaire, si vous me permettez cette remarque, avec beaucoup de fermeté.

Lady Sedgwick parut amusée.

— Mais je ne fus pas la seule personne à vous entendre, continua Miss Marple.

— Grand Dieu ! Est-ce que tout l'hôtel aurait écouté ?

— L'autre fauteuil était aussi occupé.

— Par qui ?

Miss Marple ne répondit pas. Elle regarda le chef inspecteur Davy, d'un air presque suppliant. « S'il faut que ce soit dit, dites-le, vous, mais je ne peux pas... »

— Votre fille, répondit Davy.

— Oh ! non ! Non ! Pas Elvira ! Mon Dieu ! Je comprends... Elle a dû penser...

— Elle a réfléchi assez sérieusement à ce qu'elle avait entendu pour se rendre en Irlande et rechercher la vérité. Ce ne fut pas difficile à découvrir.

— La pauvre enfant !... Elle ne m'a parlé de rien depuis que nous nous sommes retrouvées. Si, seulement elle s'en était ouverte à moi, je lui aurais expliqué... que ça n'avait pas d'importance.

— Elle aurait pu ne pas être de votre avis... J'ai appris, après bien des années, à ne pas croire, à l'enchaînement d'événements trop simples. Les événements, apparemment simples, ne le sont presque jamais. Tenez, par exemple, l'autre soir : une jeune fille déclare qu'on lui a tiré dessus et qu'on l'a manquée. Le portier arrive en courant pour la protéger et reçoit une balle. Voilà comment la jeune fille a vu le déroulement de l'action. Mais en fait, il est possible que tout se soit passé autrement. Vous venez d'affirmer avec véhémence, lady Sedgwick, qu'il n'y avait aucune raison pour que Ladislas Malinowski ait voulu attenter à la vie de votre fille. Je suis d'accord avec vous. C'est le genre d'homme capable de tuer, sur le moment, la femme avec qui il s'est disputé, mais je ne le vois pas se cachant dans un terrain vague pour guetter sa victime. Maintenant, supposons qu'il ait voulu tirer sur quelqu'un d'autre ? Dans cette histoire, telle qu'elle nous a été rapportée par votre fille, Michael Gorman a été tué par accident, par hasard... Lady Sedgwick, et si c'était ce que l'on cherchait ? Alors, Malinowski monte son embuscade avec soin. Il choisit une soirée brumeuse, se réfugie dans le terrain vague, attend patiemment que votre fille apparaisse, car il sait qu'elle doit venir (il s'est arrangé pour cela). Il tire un coup de feu, sans la moindre intention de blesser votre fille qui crie. Le portier de l'hôtel, en l'entendant, se précipite. *A ce moment, Malinowski tire sur Gorman qu'il avait décidé de tuer.*

— Je n'en crois pas un mot ! Pourquoi, diable ! Ladislas aurait-il voulu abattre Micky Gorman ?

— Une autre petite histoire de chantage, peut-être ?

— Pour quelle raison Micky aurait-il tenté de faire chanter Ladislas ?

— A cause de ce qu'il se passe à l'hôtel *Bertram* : Michael Gorman a pu découvrir pas mal de choses.

— Des choses qui se passent à l'hôtel *Bertram* ?

— Miss Marple, ici présente, m'a demandé, l'autre jour, ce qui n'allait pas dans cet hôtel. Eh bien, je vais répondre à la question, maintenant : l'hôtel *Bertram* est le quartier général d'une des organisations criminelles les plus solides, les mieux dirigées, qui ait jamais existé.

CHAPITRE XXVII

Le silence emplit la pièce pendant quelques instants. Miss Marple le rompit en remarquant d'un ton
froid :

— Comme c'est intéressant...

Bess Sedgwick se tourna vers elle.

— Vous ne semblez pas surprise, Miss Marple ?

— Non, à la vérité, je ne le suis pas tellement... Il
y a tant de choses qui paraissent ne pas être vraies
dans cet hôtel... Tout y est trop appliqué pour être
sincère... Ce qu'on appelle au théâtre une belle représentation. Mais ce n'était qu'une représentation...
Rien de réel dans tout cela. Et cependant un tas de
petits détails craquaient.. Ces gens interpellant un
ami ou une connaissance... et qui découvraient qu'ils
se trompaient.

— Ce genre d'erreurs arrive, mais ici, cela se pro-
duisait trop souvent, expliqua Davy. N'est-ce pas,
Miss Marple ?

— Oui. Des personnes telles que Selina Hazy commettent régulièrement ce genre d'erreurs, mais Selina Hazy est un peu à part... Or, tant d'autres clients se trompaient qu'il n'était pas possible de ne pas le remarquer et l'on en arrivait à penser que l'on avait affaire à des figurants s'appliquant à ressembler à telle ou telle catégorie de gentlemen du vieux temps.

Bess Sedgwick s'adressa au chef inspecteur.

— Que voulez-vous dire, lorsque vous prétendez que cet hôtel est le quartier général d'une organisation criminelle ? Je pensais que le *Bertram* était bien l'endroit du monde le plus respectable.

— Il fallait que l'on pense ainsi. Beaucoup d'argent, de temps et d'intelligence ont été dépensés pour arriver à ce but. Un remarquable acteur dirige le spectacle, en la personne d'Henry. Vous avez aussi cet Humfries, au verbe fleuri qui, s'il n'a pas de dossier judiciaire dans notre pays, a quand même été mêlé, à l'étranger, à d'assez vilaines histoires. Il a su, ici, s'entourer d'acteurs de qualité et je reconnais qu'ils sont dignes d'admiration les uns et les autres. Leur impeccable organisation a coûté cher à notre pays et a donné bien des soucis au Yard. Chaque fois que nous croyions tenir un bout du fil, nous découvrions que nous faisions fausse route. Heureusement, nous avons eu la chance de découvrir des détails qui, par eux-mêmes ne valaient pas grand-chose mais qui, mis bout à bout, nous ont menés au succès : un garage où l'on entreposait des plaques minéralogiques variées, une firme de déménagements douteuse. Nous avons mis la main sur un camion de boucher, un autre d'épicier et même un ou deux faux wagons postaux. Et puis, un pilote de voiture de course qui, au volant de son engin, peut couvrir de longues distances en peu de temps. Enfin, à l'autre extrémité de la chaîne, un ecclésiastique âgé, avançant sans hâte dans une vieille Morris Oxford. Signalerais-je encore un petit pavillon dont les locataires sont toujours prêts à vous porter secours en cas de besoin ?

Les clients étrangers qui descendaient au *Bertram*, composaient l'autre côté du décor. La plupart, venant d'Amérique ou d'Europe, constituaient une clientèle riche, chargée de bagages luxueux et au-dessus de tout soupçon. Quand ces gens-là repartaient, c'était avec d'autres bagages, tout aussi élégants et coûteux. Les touristes fortunés se rendant en France, n'ont pas à se soucier de la douane qui ne saurait leur reprocher de faire entrer des devises. Naturellement, ces touristes changeaient souvent, car la cruche ne doit pas aller à la fontaine trop fréquemment. Rien de tout cela ne sera facile à prouver, je le sais ; mais nous avons déjà marqué un bon point en arrêtant les Cabot par exemple...

— Les Cabot ? demanda vivement Bess.

— Vous vous souvenez d'eux ? Un couple d'Américains charmants. Ils sont descendus ici l'année dernière et à nouveau cette année. Ils ne seraient pas revenus une troisième fois. Personne ne vient au *Bertram* plus de deux fois pour la même affaire. Nous les avons arrêtés à leur arrivée à Calais. Du beau travail ! Leurs porte-habits renfermaient plus de trois cent mille livres habilement dissimulées, et qui provenaient du hold-up du train postal. Naturellement, ce n'est qu'une goutte d'eau dans l'océan. L'hôtel *Bertram* est le quartier général de tout ce

marché. La moitié du personnel est dans le coup.
Certains des clients sont ce qu'ils prétendent être...
d'autres ne le sont pas. Les vrais Cabot, par exemple,
se trouvent en ce moment au Yucatan. Il y eut aussi
la très épineuse question d'identification des suspects.
Prenez Mr Justice Ludgrove. Un visage familier, au
nez proéminent, affligé d'une verrue. Assez facile à
imiter. Le chanoine Pennyfather... Un doux ecclésiastique de campagne, avec une grosse touffe de
cheveux et une attitude qui trahit l'étourderie. Ses
manières, sa façon de regarder par-dessus ses lunettes... très facile à imiter encore pour un bon
acteur de caractère.

— Mais à quoi cela conduisait-il ? s'enquit Bess.

— Réfléchissez ! Mr Justice Ludgrove est aperçu
non loin de l'endroit où a eu lieu un hold-up. Quelqu'un le reconnaît, parle avec lui. Nous nous mettons
en quête pour apprendre que Mr Ludgrove, à cette
heure-là, se trouvait ailleurs. Il nous fallut du temps
pour comprendre qu'il s'agissait « d'erreurs délibé-
rées ». Personne n'a pensé à rechercher l'homme qui
ressemblait tant à Mr Ludgrove et qui ne lui ressemblait en rien, une fois son maquillage retiré. Pendant
ce temps, nous nagions en pleine confusion. Tantôt
on nous parlait d'un juge au tribunal, d'un archidiacre, d'un amiral, d'un général de brigade, tous
repérés près du lieu où s'était déroulée la scène. Dans
l'affaire du train postal, au moins quatre véhicules
entrèrent en jeu avant que le train n'arrive à Londres.
Une voiture de course conduite par Malinowski, une
fausse camionnette de boîtes métalliques, une vieille
Daimler, avec un amiral au volant, et une Morris
Oxford démodée que pilotait un ecclésiastique âgé,

au crâne orné d'une touffe de cheveux blancs. Un scénario merveilleusement mis au point. Seulement, la bande eut la malchance que cet étourdi de vieil ecclésiastique, le chanoine Pennyfather, s'en soit allé prendre son avion un jour trop tard. Il revint au *Bertram,* et reçut un choc terrible en ouvrant la porte de sa chambre et en se trouvant face à lui-même. Sa doublure s'apprêtait à se rendre près de Bedhampton où elle devait tenir son rôle. Sur le moment, les membres du gang ne surent comment réagir mais l'un d'eux, probablement Humfries, frappa le vieil homme à la tête et l'expédia sur le plancher. Tandis que le faux chanoine gagnait la scène des opérations, le vrai était transporté dans la nuit, jusqu'au pavillon, situé non loin de l'endroit où le train fut attaqué, là où un docteur pourrait s'occuper de lui. Si, par la suite, on racontait que le chanoine Pennyfather avait été remarqué dans les environs, tout marcherait comme prévu.

— Cela me paraît fantastique ! s'exclama Bess Sedgwick. Absolument fantastique ! Et je suis persuadée que vous n'avez aucune raison valable de mêler Ladilas Malinowski à cette histoire sans queue ni tête.

— J'ai beaucoup de raisons, au contraire. Malinowski ne prend pas assez de précautions. Il s'aventura par ici, alors qu'il aurait toujours dû s'en tenir à l'écart. La première fois, il est venu pour rencontrer votre fille. Ils avaient, tous deux, imaginé un code.

— Elle vous a dit elle-même qu'elle ne le connaissait pas !

— Elle l'a dit mais ce n'était pas vrai. Elle est amoureuse de lui. Elle veut l'épouser.

— Je ne vous crois pas !

— Vous ignorez tout de Malinowski qui n'est pas homme à raconter ses secrets. Quant à votre fille, vous avez admis vous-même, que vous ne la connaissiez pas. Vous avez été furieuse, n'est-ce pas, lorsque vous avez découvert que Malinowski venait au *Bertram* ?

— Pourquoi l'aurais-je été ?

— Parce que vous êtes le cerveau de toute l'affaire. Vous et Henry. Le côté financier est assuré par les frères Hoffman. Ils s'occupent des arrangements avec les banques étrangères et tout ce qui en découle, mais le chef du syndicat, le cerveau qui le dirige, l'organise, c'est vous, lady Sedgwick.

Bess le regarda et éclata de rire.

— Je n'ai jamais rien entendu de si extravagant !

— Vous avez de l'esprit, du courage et du culot. Vous avez essayé presque tout et après, blasée, vous avez décidé de tâter du crime. Ce n'était pas l'argent qui vous attirait, à mon avis, mais le plaisir que vous y goûtiez. Cependant, vous refusiez le meurtre ou les violences inutiles. Il n'y avait ni morts ni attaques brutales dans vos prévisions, seulement de gentils coups sur la tête, en cas de besoin... Parmi les criminelles de qualité que j'ai rencontrées, vous êtes la plus exceptionnelle et la plus intéressante.

— Je crois que vous devez être fou !

Elle avança la main vers le téléphone.

— Vous allez appeler votre avocat ?

D'un geste brusque, elle laissa le combiné retomber sur son socle.

— Après tout, je déteste les avocats.. D'accord.

C'est exact, je dirige cette organisation. Vous avez
tout à fait raison en disant que c'était, pour moi, un
jeu. J'ai savouré chaque instant de cette existence.
C'était amusant de voler l'argent des banques, des
trains, des postes, et des soi-disant wagons de sécurité ! Je suis heureuse d'avoir connu cela. La cruche
va à la source une fois de trop, dites-vous ? Je
suppose que c'est vrai. En tout cas, j'ai eu beaucoup
de plaisir. Mais, vous vous trompez au sujet de
Ladislas Malinowski. Ce n'est pas lui qui a tué Gorman, mais moi. (Elle éclata de rire.) Je l'avais averti
que je le tuerais... Miss Marple m'a entendue... et je
l'ai tué. J'ai fait presque exactement ce que vous
mettez au compte de Ladislas. Je me suis cachée
dans le terrain vague. Lorsque Elvira est passée, j'ai
tiré un coup en l'air et lorsqu'elle s'est mise à crier et
que Micky arriva en courant, j'ai tiré sur lui. J'ai les
clés de toutes les portes de l'hôtel, naturellement. Je
me suis donc glissée dans ma chambre sans être vue.
Il ne m'est jamais venu à l'esprit que le revolver vous
conduirait jusqu'à Ladislas... ou même que vous le
suspecteriez. Je l'avais pris dans sa voiture, à son
insu. Mais je puis vous assurer que je n'avais nullement l'intention de faire retomber la responsabilité du
meurtre sur lui.

Elle se tourna vers Miss Marple.

— Vous êtes témoin de ce que j'ai avoué, Miss ?
J'ai tué Gorman.

— Vous le dites peut-être parce que vous êtes
amoureuse de Malinowski ? suggéra le policier.

— Non, même pas. Je suis son amie, c'est tout.
Bien sûr, nous avons été amants à l'occasion, mais je
ne suis pas amoureuse de lui. De toute ma vie, je n'ai

aimé qu'un homme... John Sedgwick. Ladislas Malinowski est mon ami. Je ne veux pas qu'il soit accusé
d'un meurtre qu'il n'a pas commis. J'ai tué Gorman.
Je l'ai avoué et Miss Marple m'a entendue... Et
maintenant, chef inspecteur Davy (sa voix monta
d'un ton et son rire emplit la pièce) *attrapez-moi, si
vous le pouvez !*

D'un geste vif, elle lança l'appareil téléphonique
dans la vitre qui éclata et, avant que Father eût le
temps de se lever, elle enjamba la fenêtre et se glissa
le long de l'étroite corniche. Father se précipita vers
la seconde fenêtre qu'il ouvrit pour lancer un coup de
sifflet.

Un moment plus tard, Miss Marple ayant réussi à
se mettre debout, le rejoignit. Ensemble, ils se pen-
chèrent pour examiner la façade de l'hôtel.

— Elle va tomber, en grimpant sur cette tuyaute-
rie ! s'exclama la vieille demoiselle. Pourquoi monte-
t-elle au lieu de descendre ?

— Elle essaie d'atteindre le toit. C'est sa seule
chance et elle le sait. Grand Dieu ! regardez-la ! Elle
grimpe comme un chat.

Miss Marple murmura, en fermant les yeux à
demi :

— Elle va tomber. Ce n'est pas possible !... Elle va
tomber !

Bess échappa à leur vue. Father se recula et sa
voisine lui demanda, surprise :

— Vous ne bougez pas ?

— Mes hommes sont postés à l'extérieur. Ils
connaissent leur métier. D'ici quelques minutes, tout
sera terminé, dans un sens ou dans l'autre... Cela ne

m'étonnerait pas qu'elle leur échappe. C'est une femme exceptionnelle, vous savez.

— Aviez-vous deviné ce qu'elle se proposait de faire ?

— Non. C'est là une de ses qualités, l'inattendu, l'improvisé. Elle a dû penser à sa fuite pendant que je parlais, et pourtant, vous l'avez vue, assise, très calme. Je crois...

Il s'interrompit pour écouter le hurlement d'un moteur qui vrombissait et le crissement des pneus. Father se pencha à la fenêtre.

— Elle a donc réussi à atteindre sa voiture.

La belle voiture blanche tournait au coin de la rue sur deux roues et fonçait droit devant elle.

— Elle va tuer quelqu'un, pronostiqua Father, et peut-être plusieurs personnes mais... elle se tuera, elle aussi, probablement.

— Je me demande...

Miss Marple ne put achever. L'écho brutal d'un choc, la montée d'une rumeur violente, lui coupèrent la parole.

Le chef inspecteur se tourna vers la vieille demoiselle.

— L'accident a eu lieu.

Il resta immobile, attendant patiemment, avec ce calme donné par des années d'expérience. Puis, une sorte de murmure allant en s'amplifiant, courut tout au long de la rue. Un homme, posté sur le trottoir opposé, leva la tête vers son chef et lui adressa des signaux.

Davy se redressa :

— C'est fini pour Bess Sedgwick... Elle a terminé sa dernière course... Elle est morte.

— Je pense qu'elle souhaitait mourir ainsi.

— Sans doute... Enfin, elle nous a raconté son histoire avant de mourir. Vous l'avez entendue, Miss Marple.

— Oui. Je l'ai entendue... Elle mentait, naturellement.

Father lui lança un regard appuyé.

— Vous ne l'avez pas crue ?

— Et vous ?

— Moi non plus. Elle a tout inventé pour que cela concorde avec le plan qu'elle mûrissait, mais elle a menti. Ce n'est pas elle qui a tué Michael Gorman.

— Bien sûr que non, c'est sa fille.

Le chef inspecteur resta sans mot dire quelques secondes.

— Ah ! Quand avez-vous commencé à penser cela, Miss Marple ?

— Je me suis toujours posé la question de la culpabilité d'Elvira.

— Moi aussi. Elle était effrayée, la nuit du crime, et ses mensonges étaient de bien pauvres mensonges. Mais, sur le moment, je ne comprenais pas, je ne devinais pas le motif.

— Cela m'a intrigué aussi. Sans doute a-t-elle découvert que le mariage de sa mère relevait de la bigamie, mais une jeune fille tuerait-elle pour ce motif ? Pas de nos jours ! Voyez-vous, je suppose... elle a agi par intérêt.

— Je le crois également. Son père lui a laissé une fortune énorme. Lorsque Elvira a appris que sa mère était mariée à Michael Gorman, elle a réalisé que son mariage avec Coniston n'était pas valable et donc qu'elle risquait de perdre son héritage bien qu'elle fût la fille de Coniston. Elle se trompait, d'ailleurs, puisque son père lui a légué son argent, en la nommant par son nom. Mais, cela, elle l'ignorait.

— Pourquoi désirait-elle tant cette fortune ?

— Pour épouser Ladislas Malinowski qu'elle aime follement.

— Je m'en suis aperçu au parc de Battersea.

— Sachant qu'avec l'argent, elle obtiendrait ce qu'elle voulait, Elvira a médité un meurtre, avec un étonnant sang-froid. Elle ne s'est pas cachée dans le terrain vague, naturellement. Il n'y avait personne alentour. Elle s'est seulement appuyée contre la palissade pour tirer un coup de feu en l'air et pousser des cris. Quand Michael Gorman est arrivé en courant, elle lui a tiré dessus à bout portant. Puis, elle a continué de crier. Elle a du cran, la petite... Bien sûr, elle n'avait nullement l'intention de faire soupçonner Ladislas. Si elle lui a volé son pistolet, c'est qu'elle n'avait pas d'autre moyen de s'en procurer un. Elle ne pensa pas une minute qu'il serait accusé du crime ni même qu'il pouvait se trouver dans les parages, cette nuit-là. Elle se figurait qu'on accuserait quelque voleur ayant profité du brouillard. Une tête froide, cette fille...

– Et à présent... qu'allez-vous faire ?

— Je sais qu'elle est coupable, mais je n'ai aucune preuve. Peut-être aura-t-elle la chance des débutants... Et puis, un bon avocat trouverait là l'occasion d'une noble et convaincante plaidoirie, en évoquant le côté romantique de l'affaire... Pensez ! une jeune fille si jeune, dont l'enfance fut malheureuse... De plus, Elvira est belle, ce qui est un atout important.

— Je sais ! Les enfants du diable sont souvent beaux...

— Vous serez appelée en tant que témoin, Miss Marple... et vous devez loyalement répéter ce que Bess Sedgwick a confessé.

— Elle a payé de sa mort la liberté de sa fille, et m'a forcée à être témoin de son aveu.

La porte communiquant avec la pièce voisine s'ouvrit. Elvira Blake entra. Elle portait une robe droite, bleu pâle et ses longs cheveux blonds lui encadraient le visage. Elle ressemblait à un ange des peintures italiennes primitives. Elle regarda calmement les deux visiteurs et demanda :

— J'ai entendu une voiture et un bruit de collision. Des gens ont crié... Y a-t-il eu un accident ?

— J'ai le regret de vous apprendre, Miss Blake, répondit gravement Davy, que votre mère est morte.

Elvira poussa un petit cri.

— Oh ! non !

— Avant de s'échapper, parce qu'il s'agit d'une fuite : elle a confessé le meurtre de Michael Gorman.

— Vous voulez dire... qu'elle a avoué... que c'était elle... ?

— Oui. Avez-vous quelque chose à ajouter ?

Elvira le regarda un long moment, puis elle hocha la tête.

— Non. Je n'ai rien à ajouter.

Elle se retourna et quitta la pièce. Miss Marple cria presque .

— Eh bien ! Cher Inspecteur, la laisserez-vous s'en tirer ainsi ?

Il y eut un court silence puis Davy frappa violemment la table de son poing et rugit :
— Non ! Je vous jure bien que non !
Miss Marple hocha la tête et murmura
— Que Dieu ait pitié de son âme !

FIN

Les Reines du Crime

Nouvelles venues ou spécialistes incontestées, les grandes dames du roman policier dans leurs meilleures œuvres.

IMPRIMÉ EN FRANCE PAR BRODARD ET TAUPIN
Usine de La Flèche (Sarthe).
ISBN : 2 - 7024 - 0077 - 9
ISSN : 0768 - 0384